Lit double 3

DE LA MÊME AUTEURE

Lit double, tome 2, roman, Libre Expression, 2013.

Lit double, tome 1, roman, Libre Expression, 2012.

Le Cocon, roman, Libre Expression, 2010.

Ti-Boutte, album littérature jeunesse, Éditions de la Bagnole, 2010.

Le Bien des miens, roman, Libre Expression, 2007.

Les Recettes de Janette, cuisine, Libre Expression, 2005.

Ma vie en trois actes, autobiographie, Libre Expression, 2004.

JANETTE BERTRAND

Lit double 3

Roman

Libre Expression
Une société de Québecor Média

Catalogage avant publication de Bibliothèque et Archives nationales du Québec et Bibliothèque et Archives Canada

Bertrand, Janette, 1925-

Lit double. 3

     ISBN 978-2-7648-0994-5

     I. Titre.

PS8553.E777L573 2014   C843'.54   C2014-941367-X
PS9553.E777L573 2014

Édition : Johanne Guay
Direction littéraire : Monique H. Messier
Révision linguistique : Sophie Sainte-Marie
Correction d'épreuves : Julie Lalancette
Couverture : Chantal Boyer
Mise en pages : Annie Courtemanche
Photo de l'auteure : Alain Lefort

Cet ouvrage est une œuvre de fiction ; toute ressemblance avec des personnes ou des faits réels n'est que pure coïncidence.

Remerciements
Nous reconnaissons l'aide financière du gouvernement du Canada par l'entremise du Fonds du livre du Canada pour nos activités d'édition.
Nous remercions le Conseil des Arts du Canada et la Société de développement des entreprises culturelles du Québec (SODEC) du soutien accordé à notre programme de publication.
Gouvernement du Québec – Programme de crédit d'impôt pour l'édition de livres – gestion SODEC.

Les Éditions Libre Expression
Groupe Librex inc.
Une société de Québecor Média
La Tourelle
1055, boul. René-Lévesque Est
Bureau 300
Montréal (Québec) H2L 4S5
Tél. : 514 849-5259
Téléc. : 514 849-1388
www.edlibreexpression.com

Dépôt légal – Bibliothèque et Archives nationales du Québec et Bibliothèque et Archives Canada, 2014

ISBN : 978-2-7648-0994-5

Distribution au Canada
Messageries ADP inc.
2315, rue de la Province
Longueuil (Québec) J4G 1G4
Tél. : 450 640-1234
Sans frais : 1 800 771-3022
www.messageries-adp.com

Diffusion hors Canada
Interforum
Immeuble Paryseine
3, allée de la Seine
94854 Ivry-sur-Seine Cedex
Tél. : 33 (0)1 49 59 10 10
www.interforum.fr

À tous les amoureux qui veulent créer une relation durable.

1

🖋 Cher journal,

Il neige. L'hiver est long... long... Il me semble que le froid est plus ardent, plus pénétrant, ou est-ce mes vieux os qui supportent moins bien ces horribles mois? Cet hiver, je comprends les Québécois qui migrent vers les pays chauds et je donnerais gros pour du soleil et de la chaleur. Cet hiver, pas d'escapade à Cuba. Étienne, à qui j'en parlais, m'a rétorqué sur un ton sec que l'année dernière je n'avais pas cessé de bougonner; l'eau était trop salée, le sable trop présent, le soleil trop chaud. Je n'ai pas pris la peine de lui expliquer que si je râlais contre les éléments, c'était en fait pour ne pas râler contre lui. De toute façon, l'hiver, Étienne voit régulièrement son psychologue et participe avec enthousiasme à son groupe d'hommes. Et les activités de mon époux à Montréal diminuent notre réserve d'argent pour nos «loisirs». Et puis, sommes-nous encore assez amoureux pour des escapades romantiques au bord de la mer? N'empêche que l'hiver, ici, c'est quatre mois d'enfermement. Qu'est-ce qu'on fait quand on n'a rien à faire? On s'ennuie. Ciel, que je m'ennuie. Et c'est lorsque je m'ennuie que me vient l'idée que notre couple est foutu. Une chance qu'Étienne déteste les ordinateurs. Je ne voudrais pas qu'il sache que je doute de la vie que je nous ai choisie. Bien oui, je l'avoue, c'est moi qui, à notre retraite, ai décidé d'acheter cette ferme avec nos économies. Je voulais donner un but à Étienne, un but dont il serait fier. Dans le fond, la ferme, c'était beaucoup plus pour lui que pour moi que je la voulais. Comme il ne sait pas dire non, ni oui d'ailleurs, je prends les décisions, et les risques de me tromper qui viennent avec. Et je passe pour une femme contrôlante. Chaque couple a sa dynamique. Je décide, d'accord, mais je vis avec la peur de n'avoir pas pris les meilleures décisions pour nous deux. J'agis, il suit. On se moque souvent des Germaine, ces femmes qui gèrent et qui mènent, on ne parle jamais des hommes qui se laissent mener et gérer parce que ça fait finalement leur affaire et qu'ils y trouvent même des avantages : celui de ne jamais se tromper et celui de pouvoir critiquer.

Je devrais être contente. Étienne va mieux, enfin, un peu mieux. Sa consultation avec son psychologue est maintenant une fois la semaine au lieu de deux. Il prend toujours des antidépresseurs, et son médecin considère qu'il est sur la bonne voie. Mais je suis inquiète : il n'est plus le même homme. J'étais si heureuse l'an dernier qu'il commence cette thérapie, mais maintenant je vois bien qu'elle le change. Est-ce que je veux qu'il change ? J'ai tant voulu qu'il m'aime comme moi je l'aime, qu'il pense comme moi je pense, qu'on ne fasse qu'un, lui et moi, mais voilà que j'ai peur maintenant qu'il devienne un autre homme qui ne m'aimerait plus autant. Je ne veux pas qu'il change. Pas après plus de cinquante ans de vie ensemble. Notre relation est solide. On est un couple heureux. Pourquoi réparer ce qui n'est pas brisé ? Il aborde parfois l'idée de prendre sa retraite de la ferme. Je le connais, il voudrait que ce soit moi qui la prenne, la décision, afin de se dégager de toutes responsabilités. Je ne peux pas décider d'arrêter de faire ce que j'aime. C'est trop me demander.

Et je sens qu'il fait de gros efforts pour accepter le couple de son fils. J'avoue que c'est gênant quand Francis bécote Claude, ou encore quand ils s'étreignent en se dévorant des yeux, à fleur de désir, sans se soucier de notre présence. Impossible de s'empêcher d'imaginer ce qu'ils font au lit. J'ai beau avoir l'esprit large… Jeune, je savais bien sûr que les homos existaient, mais je n'en connaissais aucun, ni gars, ni fille. Et le comble, je me retrouve avec un fils gai qui est amoureux d'un gai d'une autre race, d'une autre couleur, le pire, un Anglais de Toronto. Tout un choc! Cela serait si simple si Claude était un hétéro. Ce serait plus facile pour nous, et pour lui aussi, qu'il soit comme quatre-vingt-dix pour cent du monde. On ne parle jamais des parents de gais, de ce qu'ils ressentent et de comment ils absorbent cette différence. Suis-je responsable de l'homosexualité de Claude? Coupable même? L'ai-je trop aimé? Ou pas assez? Étienne ne m'en parle jamais, mais il doit penser que c'est ma faute. Je dois aimer mon fils tel qu'il est. Il ne changera pas, et ça, même s'il le voulait. Il n'est pas plus responsable de son homosexualité que de ses yeux bleus, me dit-il souvent. Mais je ne suis pas une sainte et des fois je me demande si par miracle il ne reviendrait pas… j'allais bêtement écrire «dans le droit chemin».

***

Clara arrête de taper en sentant Étienne qui, en douce, est entré dans sa cachette d'écriture. Elle clique vite sur «Fermer».

— Mon psy me conseille de me familiariser avec l'ordi, il dit que ça serait utile pour écrire mes rêves tous les matins.

— Ah, si ton thérapeute le dit !

Clara se lève un peu trop brusquement et bute contre lui. Il la retient par le bras.

— J'ai pas le droit d'avoir des cachettes. Juste toi ?

Il affiche un air qu'elle ne lui a jamais vu. Un ton nouveau aussi. Elle lui sourit faiblement.

— T'as horreur de tout ce qui est électronique. Vaut mieux que tu continues d'écrire dans ton petit cahier noir. C'est moins difficile. Tu vas perdre patience avec un ordi… Mon amour, t'es plutôt du genre, disons… manuel…

— Mon psy me dit aussi que toi tu peux pas me changer, mais que moi je peux changer.

Sur ce, il sort de la pièce. Clara soupire.

« Mais qu'est-ce qui lui prend ? Qu'est-ce que son psy lui fourre dans la tête ? Cette façon contestataire avec laquelle il me parle de plus en plus souvent… »

Elle revient à son journal, triste.

Cet Antoine Marcil le monte contre moi. C'était peut-être un mauvais choix, ce psy, mais je me suis fiée aux recommandations de Jean-Christophe. Étienne a peut-être vraiment besoin d'autre chose que de s'occuper d'une ferme bio et, parce que je ne veux pas prendre ma retraite de la ferme, il est contrarié et le montre en étant bête avec moi. Je ne veux pas quitter mon petit monde. Qu'est-ce que je deviendrais sans mes clients, sans mes amis ? Qu'est-ce qu'ils deviendraient sans moi ? Ce n'est pas que je sois de grand conseil, mais au moins ils peuvent parler d'eux avec quelqu'un qui les écoute, quelqu'un capable de se mettre à leur place, quelqu'un qui ne les juge pas. Je n'invente pas ça. Mimi et Bob ont besoin de moi. Et

Nancy et Nicolas qui ont des problèmes avec ce Lulu adopté… Leur couple pourrait ne pas y survivre. Faut que je les encourage à persister. Et puis ma belle Magali qui, heureusement, a reporté son gros mariage à plus tard étant donné que la succession de son père prend du temps à se régler.

Tout cet argent qui lui tombe du ciel me rend folle. Il ne faut pas que cet héritage vienne détruire son couple, ce serait dommage. Il y a aussi mon voisin, Jean-Christophe. Sans mes légumes, mes petits fruits et mes fines herbes, terminées les excuses pour passer des heures en sa compagnie, à l'écouter parler. Il est si savant sur la nature humaine et j'ai tant à apprendre. Moi, j'ai l'expérience, et lui, la science. On est un couple parfait… de voisins. C'est vrai que sans la responsabilité de la ferme je pourrais m'occuper davantage de mon petit-fils Gabriel… Et puis, je n'en parle pas, mais mon dos me fait souffrir de plus en plus.

***

Étienne apparaît dans l'embrasure de la porte, vêtu de son nouvel anorak qu'il ne met que pour aller en ville. Il ajuste son foulard coloré tricoté par Clara.

— Mercredi, c'est juste demain…

— Je sais. Pis?

— Tu sors?

— Je suis mieux d'aller coucher en ville, ils annoncent une grosse bordée de neige cette nuit.

— Tu vas coucher à l'hôtel? Ça coûte des sous…

— Ben non, Alain m'a invité. Il a un divan-lit dans son salon.

— Alain?

13

— Tu le connais pas. Un gars du groupe de thérapie. Il passe son temps à m'inviter à dormir chez lui quand on finit tard et quand il fait tempête.

— Il est gai.

Ce n'est pas une interrogation, mais une constatation.

Étienne s'est cambré, il a blêmi et son regard s'est durci. Elle ne lui a jamais vu cet air-là.

— Pourquoi tu me dis ça? T'as peur que je sois attiré?

— Oui.

C'est un tout petit « oui ».

— Il est gai, pis je suis pas attiré pantoute! Je fais pas une thérapie pour le fun, c'est pour savoir qui je suis vraiment et sache, Clara… (il crie la suite) que je suis pas attiré du tout par les hommes!

— Bon.

Étienne se calme un brin en enfilant sa tuque et ses gants.

— Je t'appelle quand j'arrive en ville.

— Sois prudent.

Il s'avance vers elle et l'embrasse sur la tête.

— Je sais que je t'aime, Clara. Ça, je le sais!

Figée et démontée devant l'écran de son ordinateur, Clara écoute les bruits du départ d'Étienne. Au bout d'un moment, elle retourne à son journal.

🖉 Mon Étienne devient un autre homme, un homme que je ne reconnais plus, que je ne comprends plus. Il s'éloigne de moi. Je ne suis plus la source de toutes ses joies. Il a maintenant une vie en dehors de moi, un psychologue, un groupe d'hommes, des nouveaux amis. Ça me fait peur. Suis-je en train de le perdre?

Sur l'autoroute, au volant de leur familiale, Étienne parle tout haut:

— J'ai pas peur d'Alain qui est gai. J'ai pas peur de moi. Je sais ce que je suis.

«Pourquoi j'ai accepté son invitation? Pour me prouver que je suis pas attiré par lui. Et pourtant, oui, sa générosité m'attire, sa faiblesse aussi, et c'est un spontané. Moi qui le suis si peu, il me fait du bien. C'est vrai que son problème à lui, c'est le sexe. Il a dit au groupe qu'il avait déjà passé cent hommes en une nuit. Il se vantait, plusieurs dans le groupe ne l'ont pas cru. Je serais fou d'aller coucher chez un malade du sexe. Il est en thérapie. Il veut se guérir. Et puis, je suis capable de dire non. J'ai pas été capable de le dire au frère quand j'étais jeune, mais là, j'ai vieilli. Mais pourquoi me jeter dans la gueule du loup?

«Je vais lui dire que je couche chez une cousine et j'irai dormir à l'hôtel. Non, c'est de la fuite. Je dois faire face à mes démons. Les tuer à jamais. La cousine pis l'hôtel, c'est des défaites. Mais la chair est faible. Si j'écoutais de la musique pour plus penser à ça?»

Étienne fait jouer un CD country et monte le volume au maximum. Pour que le son enterre ses questionnements.

2

Le bungalow est enseveli sous la neige. Emmitouflé dans son suit de ski-doo, Robert dégage la porte du garage. Son fils l'aide. Ils manient la pelle avec énergie. Ils ne se parlent pas, ne se regardent pas depuis que Jonathan a été gracié par la juge qui a cru qu'il ignorait que son actrice était mineure. Suivant le conseil de la juge, Robert a exigé de son fils qu'il habite avec eux pour quelque temps, question de le surveiller de près. Mireille, déçue par son préféré, laisse son mari s'en charger. Elle n'a jamais pris sa défense, elle ne lui pardonne pas d'être descendu du piédestal où elle l'avait juché. Elle ne lui adresse la parole que pour l'essentiel et, à l'étonnement de Robert, elle comble d'attentions sa fille Geneviève qui devrait accoucher bientôt. Jonathan souffre de l'indifférence de sa mère, sans toutefois le démontrer. Mais plus encore, il souffre de la sévérité de son père.

— P'pa?

— Tais-toi, pis grouille avec la pelle. Qu'on en finisse au plus sacrant.

— C'est vrai ce que j'ai dit à la juge. Je savais pas que la fille avait juste quinze ans. Je savais pas que c'était un crime de faire des images osées avec des mineures sur le Web. Je le savais pas. Sérieux, p'pa.

— Je le savais pas… Les enveloppes brunes, je savais pas ce qu'il y avait dedans, l'argent cash sous la table non plus. Caltor, Jo !

— P'pa, je te le jure sur la tête de l'homme que j'aime le plus au monde.

Robert arrête de déneiger l'allée, décontenancé. Il revoit Jonathan, enfant, quand il lui disait : « Ze t'aime gros comme le ziel et la Terre ! »

— P'pa ? C'est ben important que tu me croies. Même si j'ai été gracié, toi, il faut que tu me croies.

« Ça se peut-tu que mon propre fils ait fait cette grosse bêtise-là ! Il me fait penser à moi quand j'ai raccompagné "Chose" chez elle. Je me suis ramassé avec une totale inconnue qui m'a fait accroire au matin que je l'avais baisée comme un dieu. Finalement, le fils est aussi cave que son père. »

— Je te crois, mon petit gars.

Des larmes jaillissent des yeux de Jonathan comme si elles s'étaient accumulées depuis des années et que la soupape venait de s'ouvrir. Robert sent une grosse boule d'émotion l'étrangler.

— Viens ici un peu que je te réchauffe. On gèle !

Robert lui ouvre les bras et Jonathan s'y réfugie comme avant, comme dans le bon temps, le temps d'avant la coupure de l'adolescence. Des larmes mouillent les yeux paternels et, pour cacher ce qu'il considère comme une faiblesse, Robert repousse son fils d'une bourrade.

— T'es frette comme un glaçon. Ç'a-tu de l'allure de pas s'habiller en hiver !

— J'ai tellement besoin que tu me croies, toi surtout, p'pa !

La porte est maintenant dégagée et ils entrent dans le garage.

— Je te crois, mais tu vas me dire ce qui s'est passé exactement. On est entre hommes, là.

— J'ai essayé de vous le raconter… Vous voulez rien entendre.

— Mets-toi à notre place. On apprend que t'es accusé de production et de diffusion de matériel porno juvénile, que tu peux faire six mois, un an de prison…

— Je me mets à votre place, j'aurais capoté aussi.

— J'aurais accepté que tu regardes de la porno une fois en passant, par curiosité, moi aussi je suis allé voir en passant… mais de là à en faire…

— Écoute-moi, p'pa.

— … à te servir d'une petite jeunesse de quinze ans…

— Écoute-moi, crisse !

Jonathan a dit « crisse » comme son père qui apprécie ce trait qu'ils ont en commun.

— Excuse-toi. Moi je dis « caltor » pour remplacer « crisse ». Surtout devant ta mère.

— Je m'excuse. Je suis pas comme toi, p'pa. Toi, t'as de la facilité avec le monde. Moi, je suis tout le contraire. Moi, je suis ben tout seul avec mon ordi, mais des fois j'ai des désirs d'homme, tsé, pis comme je me fais pas de blondes facilement… ben… comme je m'en fais pas pantoute… je vais sur les sites pornos. C'est là, à portée de la main.

Jonathan rit de son jeu de mots. Son père lui renvoie tout de même un sourire.

— Tu y vas souvent ?

— Ben, avant ta surveillance, j'y allais tous les jours, comme tout le temps. Pas tout tout le temps, mais autant que l'envie me prenait, et ça me prenait souvent. Tu sais ce que c'est, quand t'es jeune, tu penses rien qu'à ça, le cul.

— La porno, c'est comme la boisson ou le tabac, ou… la drogue, tu t'en rends pas compte, pis tout à coup t'es devenu accro. Tu commences par regarder ça par simple curiosité et tu continues parce que des filles qui veulent tout le temps et qui jouissent avec le gars, c'est excitant au boutte.

— Oui, pis l'avantage, j'ai pas besoin de draguer et de me faire dire non. Aussi, pas de taponnage après, genre «Tu m'aimes-tu?». Tu prends vite goût à ça. Le plaisir à pitons.

— Mais le problème, c'est qu'il t'en faut toujours plus pour être excité. Right?

— Ouais, c'est vrai. J'étais rendu que je zappais les bouts plates pour juste regarder les hards. Pis y avait jamais rien de ben nouveau, et je me suis dit que j'allais en tourner un, film porno, un à mon goût. Pas comme acteur, j'ai vraiment pas le body pour ça, je suis faite comme toi, pis je suis ben trop gêné, mais comme réalisateur, là… J'ai une webcam, des spots et il me manquait juste deux jeunes pour un film postporno.

— C'est quoi ça… postporno?

— Un film avec des acteurs qui s'aiment pour vrai, qui se traitent d'égal à égal en faisant l'amour. Je connaissais un gars qui avait une blonde depuis un bon bout. Il a vingt-deux ans et j'ai cru que sa blonde avait le même âge. Les filles, elles commencent à se montrer le body à douze, treize ans… Je savais pas qu'elle était mineure. Sérieux, p'pa, je le savais pas. Je peux te la montrer dans le film! J'ai le film sur une clef USB.

— Je veux pas voir ça !

— C'est très artistique. À part le cul, y a une maudite bonne histoire, deux vrais jeunes qui s'aiment, et à l'écran ça paraît. La porno est consommée par des jeunes, pis des histoires de jeunes, ça manque dans la business. J'ai voulu combler un besoin. Ma postporno, c'est pas de la porno de matante et de mononcle avec des filles de quarante qui ont l'air de trente…

— Avec ton actrice mineure, c'est de la pédophilie.

— Ben non ! La pédophilie, c'est un adulte avec un enfant. Mon actrice a presque dix-sept ans !

— C'est du matériel porno, postporno si tu préfères, mais la loi…

— Mais j'ai pas forcé la fille. Elle voulait. Le gars, c'était son chum. Faire ça à la noirceur ou devant une caméra… Je l'ai pas payée, j'ai pas fait une cenne. C'était pas pour le vendre, juste pour le placer sur le Web, pour montrer ce que je sais faire. Une sorte de carte d'affaires. Pour mettre à profit mes études en multimédia. Faut pratiquer, qu'ils disent, les profs…

— Arrête de te justifier !

— Ce que j'ai dit à la juge est la pure vérité. Pis elle m'a cru, elle !

— As-tu participé ?

— Non ! Je filmais !

— Lequel est le plus coupable ? Celui qui vole ou celui qui tient la poche ? T'as pas voulu mal faire, mais tu t'es mis les pieds dans les plats pareil.

— On a pas de cours de sexualité à l'école… Où veux-tu qu'on apprenne, nous autres, les jeunes ? Les parents pensent qu'on sait toutte, ça fait qu'ils se donnent pas le trouble de nous instruire.

— Le sexe, c'est privé. On parle pas de ça comme de la température. C'est privé et c'est grandiose, c'est noble ; c'est pas pour mettre sur le Web. C'est – comment te dire ? –, c'est une affaire qui se passe entre des personnes qui s'aiment.

— Il y a des émissions qui montrent à faire la cuisine. Pourquoi il y aurait pas des programmes qui montrent comment faire l'amour ?

— Les films de cul montrent pas comment faire l'amour. C'est juste du sexe, avec la femme soumise la plupart du temps, et l'homme qui procure la jouissance. Sache, mon garçon, qu'il y a autant de sortes de sexe qu'il y a de couples. Le sexe, c'est le secret précieux du couple. On sait jamais ce qui se passe sous la couette des autres. Le sexe, c'est… c'est maman !

— Hein ? Le sexe, c'est maman ?

Une fenêtre s'est ouverte à l'étage. Mireille a interpellé son mari.

— Jo, pas un mot de notre conversation à ta mère, elle a déjà assez de troubles avec ta sœur.

— Merci, p'pa. De toute façon, maman me parle plus, je suis tombé de mon piédestal.

Mireille ouvre la porte qui relie la cuisine au garage. Elle est en « mou », dans un ensemble de jogging turquoise qui la fait paraître plus grosse qu'elle l'est en réalité.

— Tu m'as pas entendue, Bob ? Je t'ai appelé d'en haut.

— Oui oui. Bon, qu'est-ce qu'il y a encore ?

— Ta fille… elle veut plus accoucher.

Jonathan éclate de rire et échange un regard malicieux avec son père. Ce qui met Mireille encore plus en rogne.

— Toi, le p'tit smatt, pas de remarque. Quand on est assez niaiseux pour faire ce que t'as fait, on juge pas sa sœur. Pis toi, Bob, t'as jamais accouché, ça fait que tais-toi. Si les hommes accouchaient, la planète se viderait dans le temps de le dire.

— Je m'excuse, m'man. Je voulais pas rire. Mais Gen va comme être obligée d'accoucher. Elle a neuf mois de faits.

— Bon, c'est nouveau, ça, t'excuser. En tout cas, je sais plus quoi faire avec elle. Bob, viens lui parler. Je suis découragée.

Elle est proche des larmes, épuisée. Robert s'en attendrit.

— O.K., je vais essayer.

Il laisse son fils en tête à tête avec sa mère qui renifle tout en cherchant un mouchoir dans son soutien-gorge, puis dans sa manche. Jonathan tâte ses poches et lui en trouve un froissé.

— Y est pas usagé.

Mireille esquisse un mince sourire et se mouche bruyamment.

— Quand j'étais petit, te souviens-tu, m'man, au salon de coiffure, je t'avais accusée devant plein de matantes de toujours me moucher avec des kleenex usagés ?

— J'avais eu tellement honte, pis c'était pas vrai, c'étaient des froissés…

— M'man… Je m'excuse si je te fais honte avec mon histoire de film porno.

— Garde tes excuses pour plus tard. C'est pas vraiment le moment.

Elle retourne dans la maison, sans constater la déception de son fils.

— Qu'est-ce qu'il y a, ma belle doudoune en or ?

— Je veux me faire avorter, p'pa… Tout de suite !

Robert s'assoit sur le lit et tente d'enlacer Geneviève, mais c'est impossible avec son gros ventre et celui de sa fille.

— Dis pas des affaires de même, ma tite fille. C'est pas…

— Je veux pas accoucher !

— Le bébé, que tu le veuilles ou non, faut ben qu'il sorte de ton ventre.

— Je veux pas de bébé… Je veux avorter !

Elle hurle encore plus fort et à répétition qu'elle veut avorter, qu'elle veut plus de bébé. Robert est étourdi par son hystérie. Mireille surgit dans la chambre, s'élance et gifle rudement sa fille qui, sous la surprise, devient statue de sel. Robert entraîne vite sa femme dans le corridor.

— Caltor, elle est enceinte, tu devrais pas…

— C'est pas une raison pour nous faire chier !

***

Le vent du nord siffle et semble s'engouffrer entre les planches de bois de la maison. Clara frissonne. Elle est seule, et la soirée lui apparaît sinistre. Elle entend la sonnerie de Skype et clique pour se retrouver devant Mireille et Robert, qui déversent sur elle, en se coupant la parole, leurs difficultés avec leurs enfants.

Sans grand entrain, Clara tente d'y voir clair afin de les calmer. Elle fait de son mieux.

— Tous les couples ont leurs épreuves, leurs hauts et leurs bas. C'est normal. Ce qui compte, c'est de pas perdre de vue l'essentiel : votre relation à vous deux.

Vous pouvez laisser les malheurs de vos enfants briser votre relation ou encore vous pouvez vous servir de ces mêmes malheurs pour renforcer le lien qui vous tient ensemble.

— Nous deux, ça compte pas, mais notre fille, notre fils, qu'est-ce qu'on fait avec eux autres ? On peut pas les mettre à la porte.

— Pensez à vous deux d'abord. C'est le temps d'être égoïstes.

— C'est toi qui dis ça, Clara ? Toi qui penses toujours aux autres ?

— La vie m'a appris que le couple peut traverser les pires revers, mais si on s'aime... on s'en sort. Quant à votre Jonathan, faudrait peut-être que toi, Bob, tu lui parles de sexualité saine, normale, et non virtuelle...

— Je te l'avais dit que c'était à toi de lui parler...

— C'est ce que je viens de faire cr... caltor !

— ... et que Mimi explique à sa fille les joies de la maternité.

— Hein, hein, je te l'avais dit ! Tu passes ton temps à lui radoter des accouchements effrayants, douloureux au boutte. Elle peut ben avoir peur, la pauvre petite fille.

— Si je savais pas que vous vous aimez autant, je pourrais croire que vous êtes sur le bord de vous séparer, mais je vous connais et je sais que le picossage est votre façon de communiquer. Mettez donc ça de côté pour le moment. Vos enfants ont besoin de vous, de vous deux ensemble, et ils ont la chance d'avoir des parents qui peuvent leur donner l'exemple d'un couple heureux, alors...

— C'est vrai, ça, que, pour moi, ma femme, c'est... le boutte de la marde.

— Toi itou, t'es le boutte de la marde pour moi.

Clara se retient de rire. Elle a connu des déclarations d'amour plus romantiques, mais bon, chacun sa façon d'exprimer son amour.

— Ce que vous pouvez donner de mieux à vos enfants, c'est l'exemple d'un amour qui dure, d'un couple capable de traverser toutes les épreuves.

— Juste ça?

— Juste ça...

— Merci, Clara.

— Toi, si on t'avait pas...

— Bonne nuit.

— Toi aussi, Clara, t'es le boutte de la marde.

— Merci.

3

Le luxueux chalet en montagne rappelle un gâteau au chocolat sur de la crème glacée à la vanille. De beaux grands sapins le protègent des vents. De la fenêtre panoramique, Nancy guette le retour de ses deux hommes. Nicolas et Lulu sont partis à l'aube pour profiter des pentes de ski avant l'arrivée des skieurs du dimanche. Il est seize heures et elle s'inquiète, c'est la première journée de ski de Lulu sans son instructeur, elle a peur qu'il se fatigue, se blesse. Il n'a que neuf ans, après tout.

Depuis l'automne dernier, tout marche comme sur des roulettes pour le couple. Une fois l'adoption de Lulu officialisée, Nicolas et Nancy en sont venus à des accommodements raisonnables. Les jours de la semaine, elle travaille à sa clinique, rentre vers dix-sept heures et retrouve Nicolas, qui surveille les devoirs de Lulu avant de partir pour le restaurant, où il a confié davantage de responsabilités à son sous-chef Charles, afin d'alléger son travail. Et un week-end sur deux, ils partent au chalet en famille.

Nancy a fait un bon feu dans la cheminée et a concocté un souper pique-nique comme Lulu aime : une fondue au fromage et une au chocolat. L'enfant adore quand ils s'installent au salon pour manger, assis par terre sur des coussins, à la table basse devant le foyer.

— Bon, enfin! Ils arrivent!

Elle a entendu les pneus crisser sur la neige durcie de l'allée montant vers le chalet.

« Ne pas me jeter sur Lulu pour l'embrasser, le laisser venir à moi... »

Elle leur ouvre grand la porte d'entrée. Ils sont joyeux et fatigués. Complices, surtout. De les voir si bien ensemble, elle est heureuse... et un peu jalouse. Mais elle sait qu'un jour viendra où sa peur de ne pas être aimée par Lulu s'amenuisera pour disparaître complètement. Elle a confiance. Du temps, juste du temps. Elle attend.

— Salut, maman...

Nicolas l'appelle « maman » pour que Lulu comprenne que sa mère, désormais, c'est Nancy. Il enchaîne:

— Lulu, un pro. T'aurais dû le voir. Il a peur de rien. Un vrai Daredevil! Je suis fier de lui...

Après s'être débarrassé de son habit de ski, de ses mitaines et du reste qu'il a jetés dans le hall, Lulu est entré sans saluer sa mère adoptive. Et pendant que Nicolas continue de vanter les prouesses de son fils, Nancy est ailleurs, déçue.

« Quand va-t-il m'aimer? Quand? »

***

Pendant la soirée, Lulu et Nicolas regardent un film d'Astérix. Ils pigent du pop-corn dans le gros bol qu'ils partagent. Ils rient quand leurs mains se touchent. De la salle à manger, Nancy leur jette des coups d'œil tout en sortant du panier de lessive des vêtements qu'elle plie soigneusement et empile par sorte.

«Au moins, il me rejette pas. Il me regarde plus avec ses yeux méprisants. Mais il m'ignore. Je suis invisible pour lui. Je le laisse faire, je le laisse aller. Je lui donne du temps, le temps de m'adopter lui aussi. Je sens qu'il me met à l'épreuve. Je reste calme. Je lui parle que pour l'essentiel, toujours très doucement. Je l'apprivoise, c'est un petit animal sauvage. Chaque fois qu'il fait un bon coup, je le félicite, sans plus. Je respecte son rythme. Je le laisse venir à moi. C'est difficile, j'ai hâte qu'il m'aime. Je me demande des fois si j'ai bien fait de m'acharner à vouloir un enfant à tout prix. On était deux, on est trois maintenant. Avant Lulu, avec Nicolas, on était en fusion, en communion. Il y avait nous deux et le reste de l'univers. Notre bulle était solide parce qu'hermétique. Quand Lulu a partagé notre quotidien, notre bulle a crevé. On a tenté d'en reconstituer une nouvelle à trois, mais c'est plutôt celle de mon mari avec son fils… je me sens complètement en dehors. On est plus un couple, on est une famille et, moi, j'ai perdu un homme, mon homme. Lulu me l'a volé. Qu'est-ce que j'ai gagné avec cette adoption? L'espoir qu'un jour peut-être Lulu va daigner m'accepter comme mère? Et s'il y arrive jamais, j'aurai perdu sur tous les fronts.»

Au moment du rituel dodo de Lulu avec Nicolas, Nancy s'enduit les jambes et les bras de crème hydratante. Leurs rires sont comme des coups de fléchette dans son cœur.

«Ils sont si heureux ensemble. Ils ont absolument pas besoin de moi. Je disparaîtrais qu'ils s'en apercevraient même pas.»

Elle jette un châle en mohair sur ses épaules, glisse la porte patio qui ouvre sur la terrasse. La nuit hivernale est douce, le ciel est étoilé. Elle aurait tellement le goût de se perdre dans la nuit, de marcher, marcher. Pleurer ainsi la mort de son couple.

Nicolas lit *Les Trois Mousquetaires* à Lulu. Il jette un œil à sa montre et referme le roman.

— Non… Continue, papa.

Papa ! C'est comme si ce mot était en chocolat. Nicolas s'en pourlèche les babines.

— Dors, maintenant, Lulu.

— Non !

— Je veux passer du temps avec ta maman.

— C'est pas ma maman !

— C'est ta mère. Tu es notre fils, et ça, mon Lulu, tu peux pas changer ça. J'aime Nancy, et la peine que tu lui fais, c'est à moi que tu la fais.

L'enfant regarde son père pour vérifier s'il est sérieux. Nicolas l'embrasse sur les deux joues. Ils se tiraillent un peu, question de retarder le moment de la séparation et aussi pour adoucir la prochaine remarque de Nicolas.

— Lulu, c'est assez ! Bonne nuit.

— Papa ?

— Oui.

— J'aimerais ça l'aimer, ta femme.

Nicolas est touché. Ce petit diable de neuf ans a une grande maturité. Il est rassuré.

— Je suis pas capable.

— À Noël, quand t'as reçu tes skis en cadeau, qu'est-ce que t'as dit ? T'as dit : « Pas capable. » Et maintenant, tu files sur les pentes de ski. Donc ton « pas capable », c'est de la foutaise.

Lulu rit. Ils se disent bonne nuit.

∗∗∗

Nicolas caresse les seins de Nancy, il les mesure de ses mains, les soulève, les soupèse, les rassemble, les divise, les embrasse tout en vérifiant l'érection des mamelons qui annonce la montée du désir chez sa femme. Il y a de l'espoir. Soudain, Nicolas s'arrête. C'est sa façon de vérifier s'il peut pousser plus avant ses préliminaires.

— Continue… Oh oui, continue, Nic…

Il poursuit ses caresses, mais s'arrête au sein droit, qu'il palpe différemment.

— Quoi ? Qu'est-ce qu'il y a ? Continue…

— Attends, chérie.

Il s'assoit, guide la main de Nancy à un point précis de son sein droit.

— Tu sens rien, là ?

— Je sentais quelque chose, mais là…

— On dirait une petite bosse.

— Mes seins sont fibreux. J'ai toujours eu les seins fibreux. Continue, mon amour.

— Je le sais que t'as les seins fibreux ! Mais là, c'est dur… Ça m'inquiète…

Vexée, elle remonte le drap sur elle.

— Pour une fois qu'on est certains que Lulu ne va pas se réveiller tant son ski l'a épuisé… C'est rendu qu'on fait presque plus l'amour depuis…

— J'étais plein de désir, mais j'ai trouvé une bosse dans ton sein, une bosse qui était pas là avant. C'est peut-être grave !

— Maudite bonne excuse !

— Ah, pis, t'es médecin, tu vas la trouver, ta bosse. Bonne nuit.

Nicolas éteint de son côté, lance un soupir excédé et, rapidement, fait mine de s'endormir. Nancy est enragée.

Elle aime les préliminaires, elle en a besoin pour éveiller son désir après tant d'années. Ses seins sont beaux et sensibles aux caresses, elle les aime, ils sont pour elle une source de plaisir, et voilà que son mari vient en quelques mots de les banaliser, de les rendre médicaux, de les rendre malades.

— Les femmes ont des bosses dans les seins avant les menstruations, je vais les avoir la semaine prochaine.

Elle se colle à son dos, prend son pénis et attend qu'il lui remplisse la main.

— C'est pas une bosse normale, Nancy. Je les connais, tes seins.

— Pas plus que moi.

Elle se hisse sur lui. Elle connaît ses zones érogènes. Le désir revient. Après l'amour, ils se disent bonne nuit sans reparler de la foutue bosse. Nicolas ronfle aussitôt et c'est là seulement que, de sa main experte de médecin, elle tâte son sein droit.

« Mastite ! »

Elle s'endort, rassurée.

***

Durant la semaine qui suit, Nancy ne pense plus à ses seins. Ses menstruations arrivent, passent et, un matin de ferveur intense, Nicolas, au beau milieu des jeux sexuels, s'arrête encore.

— Ah non, Nicolas !

— T'as vraiment une bosse.

Une douche glacée. Nancy est médecin et ne permet pas à son mari chef restaurateur de poser un diagnostic médical. Chacun ses compétences.

— J'en ai pas ! Je suis pas folle.

— Je suis pas fou, t'as une masse que t'avais pas.

— Chéri. Chacun son métier…

Ils tentent de se remettre en train, mais le cœur n'y est plus.

Le lendemain, dans la salle de bain, quand les deux hommes de sa vie sont à la piscine, Nancy examine ses seins, les palpe comme elle a appris à le faire dans ses cours de médecine. Elle est certaine que son mari se trompe. Pas elle! Elle mène une bonne vie, elle est en santé, elle fait de la gym, elle ne fume pas, elle boit peu. Pas elle! Elle passe ses deux doigts autour du mamelon droit en pressant légèrement. Elle fait le tour du sein. Rien, Nicolas a rêvé ça! Soudain, ses doigts s'arrêtent. Oui, il y a une bosse. Une mastite plus fibreuse, peut-être? Il n'y a pas à s'inquiéter. Elle est trop jeune. À quarante ans, elle est à l'abri de la maladie qu'elle n'ose pas nommer. Elle regarde vraiment ses seins. Ciel, qu'ils sont beaux! Elle en veut à Nicolas d'avoir douté un seul instant d'eux. Tant qu'elle aura ses seins-là, il ne peut rien lui arriver.

«Je suis heureuse, je mène deux vies, travail, famille, pas le temps d'être malade.»

Elle ne permet pas au mot «cancer» d'effleurer son esprit, pas une seule fois. Le cancer, c'est pour les femmes de cinquante ans et plus, pas pour elle. Elle vit sa journée dans le déni total et, quand Nicolas lui demande si elle s'est fait un examen des seins, elle se fâche, hausse le ton.

— Pourquoi tu cries après moi, Nancy?

— Parce que tu me caresses plus, tu vérifies si j'ai une bosse au sein. Ça m'énerve.

— Je suis inquiet.

— Je suis médecin, si je remarque la moindre anomalie…

— Cordonnier mal chaussé…

— Je veux plus que tu me touches les seins, parce que tu les caresses pas, tu vérifies les bosses !

— Juste une.

— Je suis pleine de boules dans les seins… Là, j'ai peut-être une mastite, c'est une infection du canal, je vais prendre des antibiotiques et on en parlera plus.

— T'es sûre que c'est juste ça ?

— Hé !

— Je veux pas te perdre.

Une angoisse la saisit. Elle le serre dans ses bras très fort.

— Je t'aime.

— Oh, moi aussi.

Et ils restent ainsi, unis dans une même peur.

4

Dans le petit salon de l'hôpital réservé aux familles, Jonathan attrape le sac de chips au vinaigre qui sort de la distributrice. Assis sur le bout du canapé, l'air absent, Robert boit un café et grimace, il est froid. Le père et le fils attendent depuis plusieurs heures des nouvelles de Geneviève. Robert cherche dans ses poches de la monnaie pour un autre café, puis il change d'idée et arpente la pièce tel un ours en cage, sous l'œil moqueur de son fils.

— Pourquoi tu vas pas remplacer mom?

«Surtout pas lui dire que j'ai pas ce courage-là. Mauvais exemple.»

— Je serais dans leurs jambes.

— Je vais y aller, moi.

— Non, t'es le frère.

— Pis un frère, ça peut pas aider sa sœur à accoucher?

— Non!

— Pourquoi?

— Parce que! Parce que…

— J'ai plus l'âge de me faire répondre: «Parce que…»

Robert soupire, excédé de cet échange qu'il juge inutile et agaçant.

— Non, t'as l'âge de faire des films pornos avec des mineures.

Une infirmière apparaît dans la porte, leur adresse un large sourire.

— Votre fille a été transférée à sa chambre. Tout s'est bien passé. Toutes mes félicitations.

Robert donne une claque dans le dos de son fils, qui se plie en deux.

— Je suis grand-père !

— Je suis mononcle !

Ils se donnent des « bines », puis, dans le couloir de l'étage, ils dansent ensemble comme si cette naissance était espérée et conforme à la norme. Avant d'entrer dans la chambre, ils reprennent leur sérieux.

Pâle et défaite, Geneviève a peine à sourire. Au pied du lit, Mireille tient le bébé emmailloté dans ses bras.

— C'est un beau gros garçon !

Elle baisse la couverture pour qu'ils voient bien son petit pénis. Robert est stupéfait.

— Il est ben noir, ce bébé-là ! C'est pas à nous autres.

— C'est pas le bébé de ma sœur. Certain qu'ils ont dû faire un échange…

— Il est pas noir, il est brun, le père est mexicain.

— Un Mexicain bronzé en pas pour rire.

— Un Mexicain né en Afrique.

— Chut, vous deux ! Vous allez énerver Geneviève. Elle est fatiguée.

Robert et Jonathan se consultent du regard, ne sachant pas s'ils doivent changer de ton et féliciter Geneviève. Mireille dépose le nourrisson dans la couchette près du lit de la nouvelle maman qui semble sommeiller.

— On va la laisser se reposer. Venez…

Ils sortent en silence, à la queue leu leu. Puis, à la grande surprise des deux hommes, Mireille éclate en larmes et se réfugie dans les bras de son mari.

— Voir si on avait besoin de ça… un bébé brun. Elle a fait exprès, juste pour nous emmerder.

Jonathan touche l'épaule de sa mère qui, aussitôt, se raidit.

— Toi, mêle-toi pas de ça !

— Voyons, Mimi, il essayait juste d'être fin.

— Toi non plus, mêle-toi pas de ça. Emmène-moi manger un smoked meat pis des patates frites, j'ai besoin de me consoler.

***

Cette nuit de février est glaciale. Ils cherchent un restaurant ouvert vingt-quatre heures. Sans grand résultat. Sur la banquette arrière, Jonathan en a marre d'entendre parler de l'accouchement. Mais Mireille a le goût d'en parler. C'est sa façon d'absorber sa déception.

— Elle a refusé l'épidurale… elle avait peur de la seringue. Ça fait qu'elle a poussé pendant des heures et des heures. Quand le bébé est sorti, elle a détourné les yeux. Tu te rends compte, Bob ? Elle a pas voulu voir son propre bébé.

— Ma sœur est pas mieux que moi, hein ?

— Toi, tais-toi ! On t'a pas demandé ton avis.

Robert, qui ne veut pas les entendre s'obstiner davantage, montre du doigt le néon « 24 heures » d'un casse-croûte. Il entreprend de se garer.

— Vous avez juste à me laisser mon ordi, pis je vous achalerai pas.

— Non, mon garçon, tu restes pour un temps sous notre toit, et ton père contrôle ton ordi.

— J'ai été gracié, mom. C'est plate en ta… Il se passe rien pantoute avec vous deux.

— Qu'est-ce que tu veux? Qu'on s'entretue pour que tu puisses placer les photos de nos cadavres sur Facebook?

— C'est chien, ça, mom.

— Tu m'as tellement déçue, j'avais placé mes espoirs en toi. Tu étais ma fierté, ma consolation. Je me vantais à toutes mes clientes que tu restais collé à ton ordi à étudier… Le vrai bon ti-gars… Tu m'as fait dans les mains…

À l'extérieur, Robert, qui gèle, les presse de sortir de la voiture. Il sait pertinemment que, quand sa femme commence à renoter, ça ne finit plus. Ils montent les marches glacées du casse-croûte.

— On va pas lui faire un autre procès…

Devant des platées de super smoked meat, des montagnes de frites, de dill pickles, ils se régalent sans échanger le moindre mot, chacun dans leurs pensées. Ils sont épuisés, la nuit a été longue, l'attente insupportable. Deux itinérants les observent. Ils n'ont pu s'offrir que des cafés et une frite, et, de toute évidence, ils espèrent que le trio ne bouffera pas tout.

— On devrait retourner à l'hôpital, Mimi. Faudrait voir comment notre Geneviève se sent. C'est pas rien de donner la vie à dix-sept ans. Pauvre tite fille, un petit de couleur en plus…

— Ça se pourrait-tu qu'elle ait couché avec un nègre, un Noir, je veux dire?

— Brun!

— Avec un brun plus foncé que son Latino?

Les deux parents répondent d'un commun accord.

— Non!

Puis il y a un grand silence. Mais Mireille dit, après avoir croqué un bout de cornichon:

— Elle qui voulait un bébé blond comme dans les annonces de papier de toilette…

Jonathan se risque:

— Qu'elle le donne en adoption. C'est plein de couples stériles qui se meurent d'adopter.

Robert s'insurge:

— On le garde. Ce bébé fait maintenant partie de notre famille. Hein, Mimi?

Robert a droit au regard assassin de sa femme. Jonathan, qui voudrait être ailleurs, jette un œil aux itinérants, leur adresse un petit sourire en avalant la dernière bouchée de son gros smoked meat.

***

Il est six heures du matin et, à l'étage de la maternité, c'est la rotation des équipes. Beaucoup de va-et-vient, de roulements de chariots de médicaments, de petits-déjeuners, de literie et de serviettes.

Ils retrouvent Geneviève debout face à la grande fenêtre givrée. Elle a mangé tout son repas. Le nourrisson dort toujours dans sa couchette, bonnet blanc sur sa tête, ce qui fait ressortir d'autant plus sa carnation.

Robert enlace sa fille et l'entraîne vers son lit. Il l'aide à s'y recoucher et la borde comme si elle avait trois ans.

Le bébé bouge, ses mains battent l'air. Sa bouche édentée s'ouvre grand. Il lâche de petits cris. Mireille le prend dans ses bras, l'enroule dans une couverture et s'installe dans le fauteuil de la chambre.

— Ce petit a pas demandé à naître, il a besoin d'amour.

Geneviève n'a pas envie d'entendre ce genre de rengaine. Jonathan, qui jusqu'à ce jour a fui les conflits familiaux, voudrait se dissoudre. Et puis, les émotions lui font peur, mais ça, il n'en a pas encore pris conscience.

— Bon, la gang, je vous attends ailleurs, dehors.

Les parents ne répondent pas, trop occupés, qui à calmer sa fille, qui à bercer le bébé brun qui a agrippé et suce le doigt de sa grand-mère.

Une préposée d'origine haïtienne reprend le plateau du petit-déjeuner et quitte la chambre en douce. Documents en main, une infirmière spécialisée annonce l'heure de la tétée et doit initier la jeune maman à l'allaitement. Geneviève s'agite : l'allaitement, pas question. L'infirmière la calme et lui promet que ce sera facile quand ils seront seuls avec le bébé.

Dans le corridor, Mireille et Robert tombent dans les bras l'un de l'autre. Des larmes coulent, mais ils ne savent pas si c'est de joie ou de tristesse. Ou même d'épuisement.

***

Sur le chemin du retour vers leur bungalow en banlieue, ils sont muets. L'inquiétude les unit. Jonathan est resté introuvable et il n'a jamais répondu à leurs appels ni à leurs nombreux messages sur son cellulaire. Robert brise le silence.

— Il est peut-être retourné à la maison en autobus. Il s'endormait. Son cell est à off, c'est certain.

Mireille pose sa main sur la cuisse de son mari et la serre pour lui signifier que dans l'adversité ils ne font qu'un. Il lui prend la main et la serre fort, trop fort. Elle laisse échapper un petit cri et ils se sourient. Ils savent au plus profond d'eux-mêmes qu'ils s'aiment malgré les enfants, et que c'est pour la vie.

Lorsqu'ils arrivent à la maison, déception : pas de Jonathan.

— C'était une recommandation de la juge, pas une obligation, qu'il reste avec nous autres.

— Défends-le pas, Bob !

— Pis toi, hein ? Ta fille qui regarde pas son bébé parce qu'il est pas de la couleur qu'elle voulait. Elle va le retourner, l'échanger contre un autre plus blanc peut-être ? Un enfant, c'est pas un objet qu'on commande sur Internet et qu'on peut retourner dans les trente jours par Purolator.

— Donne-lui une chance ! Elle va ben finir par l'aimer…

— Ah, tu veux que je donne une chance à « ta fille », pis toi, est-ce que tu donnes une chance à « ton fils » ?

— J'étais triste quand les enfants sont partis de la maison. Je pensais pas y survivre. J'étais-tu cave !

— Oui, t'étais cave.

— C'est ça, Bob, frappe sur une femme à terre.

— Caltor, je suis aussi à terre que toi, tu sauras.

Il la prend dans ses bras.

— Hé ! On a la maison à nous autres tout seuls ! Tu vas pouvoir crier à ton goût !

— Si tu penses que j'ai l'idée aux folleries.

« Il est bon, lui ! Quand je veux, il a pas le goût, pis là que j'ai pas le goût, il veut. »

«Elle est bonne, elle! Elle dit qu'elle veut tout le temps, mais quand je lui demande, c'est jamais le temps.»

5

— Everything went wrong. Il a pleuré, il a crié. Je lui achète un cornet de crème glacée, il le lance sur moi, sur mon foulard de soie, my very best! Don't laugh, Claude!

— S'il a pleuré, c'est que t'as fait quelque chose qui lui plaisait pas. Et puis, de la crème glacée en plein hiver!

— Pistachio, c'est tellement bon.

— De la crème glacée en plein après-midi… Je t'avais pourtant dit que Gaby mange de la crème glacée juste au dessert! Si tu lui donnais ses repas plus souvent…

— Tu veux pas que j'y touche.

— C'est faux. C'est toi qui veux pas t'en occuper.

— J'ai passé deux heures à le promener dans son traîneau au parc.

— Tu l'as fait pleurer.

— Me?

— Oui, you! Il pleure jamais avec moi.

Gabriel, qui a maintenant deux ans, grimpe sur les genoux de son père et lui tend les bras pour attirer son attention. Francis fulmine. Depuis l'arrivée de cet intrus, son chum a changé du tout au tout. Il n'y en a plus que pour l'enfant.

— Dans la vie, Claude, sometimes you have to make a choice. It's me or him?

Les deux amoureux se regardent sans être capables du moindre mot. Et puis, d'une toute petite voix, Claude dit :

— Ne me demande pas de choisir entre lui et toi. Je vous veux tous les deux. J'ai besoin de vous deux. Je vous aime tous les deux.

— Depuis nos retrouvailles l'automne dernier, je suis fidèle à un homme qui a un autre amour dans sa vie. I am so dumb !

— Ah, c'est ça ! C'est la fidélité qui te travaille ? C'est pas le petit, en fait.

Devant la mauvaise foi évidente de Claude, Francis monte à l'étage.

— T'aimerais ça qu'on aille voir mamie ? Hein, Gabriel ?

— Oui. Mamie, oui, oui. *Fancis* aussi ?

— Francis, non ! Juste toi et moi.

***

Dans la grange, devant son établi, Étienne guette le petit Gabriel qui essaie de rentrer un clou dans une planchette de pin. L'enfant est ravi d'avoir un vrai marteau entre les mains. Il cogne sur le clou avec sérieux.

Pendant ce temps, Claude accompagne sa mère à la seule grande surface du village.

— J'espère qu'il le laissera pas jouer avec des clous. Gaby met tout dans sa bouche.

— Relaxe. Tu t'inquiètes pour rien. Ton père t'a laissé jouer avec ses outils, t'es pas mort, même que t'aimais ça.

— S'il fallait qu'il lui arrive quelque chose, je me le pardonnerais pas.

— Tu peux pas tout lui éviter. Il va se cogner le nez, tomber, saigner et se relever comme tous les petits enfants.

— Je le surprotège pas, quand même ?

— Oui, tu le surprotèges.

Dans une allée, Claude pousse le chariot. Il regarde sa mère, concentrée à décoder l'étiquette d'une boîte de céréales, qu'elle remet finalement en place.

— Trop de sucre. Trop de sel aussi.

— C'est pas les préférées de papa ?

Clara reprend la boîte, qu'elle jette dans le panier. Claude la suit, il ressent un immense besoin de se confier.

— Quand j'ai su que j'étais gai, désespérément gai, j'ai paniqué au point de vouloir mourir. Être gai, c'était renoncer à la paternité. Moi, je voulais reproduire ce que j'avais connu de beau : un père, une mère, un enfant. Une famille heureuse… la nôtre.

— Je pensais… je sais pas, Claude, si je peux te dire ça…

Elle dépose un gros sac de riz arborio dans le chariot.

— Tu peux tout me dire.

— Je pensais qu'un gai, ça voulait pas être père.

— Le désir de se reproduire est inscrit dans les gènes de tout homme. Je suis un homme. Il y a juste qu'avant la société nous permettait pas d'adopter. Maintenant que c'est moins difficile… En tout cas, moi, j'ai toujours voulu donner mon nom à un enfant, m'occuper d'un enfant, le voir grandir, l'aimer, l'accompagner dans la vie. C'était un besoin.

Clara est hésitante, elle sait qu'elle marche sur des œufs.

— Je pensais qu'il fallait un père et une mère à un enfant.

— L'idéal, c'est une mère et un père, mais quand y a pas de mère, si elle meurt, par exemple…

— Toi, t'es pas seul, une chance. La différence, c'est que vous êtes deux pères…

— C'est de lui surtout que je voudrais te parler.

— Bon, on va à la caisse, j'ai tout ce qu'il me faut. On peut aller boire un chocolat chaud avec de la crème fouettée au restaurant à côté, comme quand t'étais petit…

**

Ils sont attablés au fond de la salle devant des chocolats chauds et des muffins. Clara attend que son fils parle, mais il semble moins enclin à le faire qu'à l'épicerie, comme s'il avait encore peur de son regard direct et franc.

— On l'aime, ton chum, on essaie de l'aimer, même si…

— Même si on est un couple gai?

— Mais s'il t'aime, s'il est bon père, on va s'habituer. Faut que tu comprennes, Claude. Un enfant asiatique, un conjoint gai, noir et anglais… surtout anglais.

— Je le sais. Je vous demande beaucoup.

— Je parle pour ton père. Moi, je suis plus…

— Tolérante?

— Aimante, je dirais. Je t'aime, Claude, et parce que t'aimes Francis, je l'aime aussi. C'est aussi simple que ça.

— Merci.

Ils se taisent, le temps d'apprécier la bouffée de tendresse qu'ils éprouvent l'un pour l'autre.

— Moi, mon modèle, c'est votre couple.

— C'est-tu toi qui fais la femme ou bien tu fais l'homme?

Claude éclate d'un grand rire.

— J'ai dit une bêtise? Réponds-moi pas, dans le fond je veux pas vraiment le savoir.

— Un couple homo qui fonctionne bien, maman, c'est un couple basé sur l'égalité, la communication, comme le vôtre. Il reste qu'on est deux hommes avec toutes les caractéristiques viriles : sexualité explosive, ambition, compétition, autorité, pouvoir. Les affrontements sont fréquents. Il y a pas de femme dans notre couple pour tempérer, pour arrondir les coins. Deux gars, maman ! Deux « beus » qui s'affrontent souvent. C'est pas toujours facile.

— Qu'est-ce qui va pas ?

— Il aime pas mon fils.

— J'avais compris que c'était d'un commun accord que vous aviez été le chercher.

— Il était d'accord parce que c'était l'adoption ou me perdre. Il a même pas voulu m'accompagner au Vietnam.

— Tu m'as dit qu'il pouvait pas.

— Je pouvais pas le présenter comme conjoint aux services d'adoption, mais il aurait pu quand même faire le voyage avec moi. Il a pas contribué non plus aux frais du voyage ni à ceux de l'adoption.

— Il m'a dit que t'as pas voulu de son argent.

— Il le voulait pas, le bébé.

— Il le voulait pas autant que toi, tu veux dire.

— Oui… Et là, il est revenu dans ma vie depuis quelques mois, mais il s'en occupe pas ou presque pas.

— Pas autant que toi, tu veux dire ?

— Oui.

— Lui donnes-tu des occasions de s'en occuper, au moins ?

Claude hésite, il ne s'attendait pas à cette question. Il choisit d'y répondre franchement.

— Non.

— Eh bien, tu sais ce qu'il te reste à faire.

— Le renvoyer à Toronto?

— Lui laisser de la place, l'impliquer dans l'éducation de Gabriel. Vous êtes plus que des amoureux, vous êtes des parents et, pour l'enfant, ce qu'il y a de plus important, ce sont des parents… heureux. Puis, le bonheur, ça se travaille. Encore aujourd'hui, après cinquante ans et plus de vie à deux…

— Cinquante-deux ans en juillet. J'ai compté, maman.

— Ah bon, moi, j'ai arrêté de compter. Pis, mon fils, un couple, c'est comme un potager, ça se jardine.

— Comme si je le savais pas. Je t'entends dire ça depuis que je suis né.

— Si je radote, c'est qu'il y a encore des couples qui pensent que le bonheur, ça tombe sur le monde comme la manne dans le désert. Le bonheur, ça se mérite. Au lieu de vous envoyer des ultimatums, demandez-vous ce que vous pourriez faire pour que ça aille mieux entre vous. Demandez-vous ce que vous voulez. Gagner chaque chicane ou fonder une famille?

***

Ce soir-là, Claude se met au lit vêtu d'un bas de pyjama et d'un t-shirt, signe pour Francis qu'il y aura discussion.

— Well, what have I done wrong again?

— C'est moi qui me suis trompé.

Francis est soudain plus intéressé. C'est bien la première fois que Claude déclare se tromper.

— Je te laisse pas ta place dans l'éducation de Gaby. Comme si je le voulais à moi tout seul. Et j'essaie de me convaincre que tu l'endures juste pour me garder.

— You're wrong! Man, you're so wrong! I love him.

— Je le sais pas, tu me le dis pas! Et tu le montres pas non plus.

— Je suis pas... un expansif, je suis pas une femme.

— Je sais pas ce que tu veux. Qu'est-ce que tu veux, Francis, au juste? Un homme, ça sait ce que ça veut, il me semble. Moi, je voulais être père, je le suis devenu. Je veux vivre toute ma vie avec toi, rien qu'avec toi. Je veux qu'ensemble, tous les trois, on s'aime pour la vie. Je veux une famille composée de toi, moi et notre enfant. Toi, qu'est-ce que tu veux?

— Je veux toi, of course! Je sais pas le temps que durera notre union, mais je veux que ce soit chargé de fun, d'imprévus intéressants.

— Je veux ça aussi.

— Je veux que t'arrêtes de dire « mon fils » comme s'il était juste à toi. Je veux être père au même titre que toi. Je veux toi, ton corps...

Les mains de Francis s'avancent vers ce corps qui l'émoustille, qu'il désire tant.

— Alors il faut aimer Gabriel autant que moi.

Francis recule quelque peu.

— Je suis pas toi, je viens d'une famille... crooked family. Mon père et ma mère... J'ai pas eu d'exemple d'amour and anyway je crois pas que les gais doivent suivre le modèle de leurs parents, des hétéros.

— On a pas d'autres modèles qu'eux.

— On peut en inventer.

— I don't know how.

— Moi non plus, je sais pas comment inventer un couple d'homos, mais je suis prêt à essayer.

Un bruit venant de la chambre de l'enfant les fait sursauter. Claude se lève d'un bond, puis s'arrête net.

— Va voir, toi !

Francis est d'abord étonné, puis, souriant d'aise, il va constater que la petite lampe sur la commode est tombée et que l'abat-jour en porcelaine est en morceaux. Gabriel est apeuré et Francis le prend dans ses bras, le berce. L'enfant se rendort et il le recouche doucement, le borde.

Dans la chambre, Claude est fier de lui. Il a laissé son conjoint s'occuper du garçon. Il se recouche, ému et plein d'espoir. Leur couple va peut-être durer.

6

Au lieu de tempêter, de sacrer à haute voix et de filer à toute vitesse pour faire sortir sa colère, Robert conduit lentement dans la voie de gauche, provoquant ainsi la furie des autres automobilistes. Encore sous le choc, il remarque à peine qu'on le klaxonne, qu'on lui fait le doigt d'honneur, qu'on lui hurle des injures en le doublant. Il revoit la rencontre avec le directeur général de sa compagnie. Sur le coup, il n'a presque rien saisi de son boniment. « Restructuration » est le mot qui revenait le plus souvent dans le monologue. Puis il a dit à son patron :

— Si tu me sacres dehors, dis-le donc carré ! Crisse, ça fait vingt-six ans que je travaille pour vous autres.

Et le patron lui a alors dit clairement qu'il n'avait plus besoin de ses services.

Robert n'en revient pas ! Ça ne peut pas être vrai ! Son patron lui a même demandé de rendre l'auto de service et le portable de la compagnie. Il a obtenu un sursis d'un mois pour la voiture, sans plus. Un coup de klaxon le fait sursauter, le ramenant à la réalité : il a raté la sortie vers sa banlieue.

« Comment j'annonce ça à Mimi ? Faudrait pas qu'elle s'inquiète, surtout là avec Gen et le bébé. Caltor de caltor de crisse ! »

***

Mireille et Robert avalent la soupe poulet et vermicelles de la cafétéria de l'hôpital avant de monter à la chambre de leur fille.

— Elle a son congé demain.

— Je vais venir la chercher. Je vais prendre congé…

Il est ennuyé par l'idée que désormais c'est un ordinateur qui va le remplacer au travail. Ou presque. Et c'est là, à table avec sa femme, qu'il trouve ce qu'il aurait dû hurler à son patron.

« Penses-tu vraiment, boss, que les clients vont passer leurs commandes en ligne quand je serai pas là pour leur conseiller nos teintures, pour discuter avec eux? Le contact humain est un must dans la vente! »

— Pas de nouvelles de Jonathan? Il répond pas à son cell.

— J'espère qu'il est correct.

— Tu l'as trop gâté, Mimi.

— Pis toi, ta fille, tu l'as pas gâtée, tu l'as pourrie jusqu'à l'os.

Robert soupire en émiettant des biscottes dans sa soupe. Il mange, les yeux posés sur un groupe d'infirmiers en file à la caisse avec leurs plateaux.

— Bob?

— Quoi encore?

— Je suis ben fatiguée qu'on s'engueule… tu sais pas comment.

— Moi aussi, tu sauras.

— On arrête-tu, pour le fun?

— On peut essayer.

— On va pas juste essayer, on va le faire.

— O.k.

— On a assez de troubles avec nos enfants, au moins qu'on ait la paix, nous deux.

— T'as ben raison.

Elle est étonnée. C'est plutôt rare qu'il lui donne raison.

« C'est bête qu'il faille que ça aille mal avec les enfants pour que ça aille bien entre nous. »

« Quand je vais lui dire pour ma job, j'espère juste qu'elle m'engueulera pas de m'être laissé tondre comme un mouton. »

— Bon, on remonte. Faudrait ben lui trouver un nom, à ce petit bébé-là.

***

Geneviève donne un biberon à son bébé. Près du fauteuil, Filippo les observe avec attendrissement. Pour une fois, il est en veston, cravate, chemise blanche et jeans frais lavés. Mireille et Robert se sont figés net en le voyant s'avancer vers eux, main tendue et souriant pour les accueillir.

— Bonjour, madame Mireille, monsieur Bob.

Tour à tour, ils lui serrent la main poliment. Geneviève vérifie le biberon, le secoue, indifférente à ce qui se passe, et le redonne au bébé.

— Mon fils, il est full beau. Il ressemble à mes ancêtres mayas.

Mireille ne peut retenir une moue sceptique. Robert hausse les sourcils.

— Mayas? C'est quoi ça, des Mayas?

— Des Amérindiens du Mexique, décimés par les Espagnols. Des guerriers qui se sont établis au Yucatán, ma patrie. Mon fils est un fier descendant d'une race pure…

— Ah bon, c'est pour ça qu'il est brun de même.

— Il est pas brun, il est rouge, madame Mireille!

— Rouge-brun… auburn… acajou…

Robert ne peut se retenir davantage.

— Tirant sur le noir pas mal, me semble…

Mireille veut racheter les propos de son mari.

— C'est un bébé en santé, c'est tout ce qui compte!

Elle fait des gros yeux à Robert pour qu'il change de ton. Il reporte son attention sur son petit-fils, qui termine le biberon.

— Tu l'allaites pas, fifille?

— Non, p'pa, je l'allaite pas!

Geneviève se lève du lit et, tout de go, remet son bébé assouvi dans les bras de sa mère.

— Fais-lui faire son rot, m'man.

— On peut te demander pourquoi t'allaites pas, ma fille? J'ai lu que c'est ce qu'il y a de mieux pour son système immunitaire.

Geneviève hausse les épaules et se colle à Filippo.

— Parce que je pars en voyage. On part en voyage.

— Hein?

Mireille croit rêver.

— Où ça, en voyage?

— Au Yucatán. Playa del Carmen. Au Mexique. La sœur de la mère de Filippo vient de mourir et elle lui a laissé son resto-bar… un resto-bar qui marche super bien, drette sur le bord de la mer. On part la semaine prochaine. C'est pour ça que j'allaite pas le petit. Le biberon, ça va être plus facile pour toi, mom.

— Moi?… Je garde le petit, moi?

— Pas longtemps, le temps de s'installer. Hé, tu viendras me le porter. Ça va te faire une petite vacance.

— Je garde pas le petit, je travaille.

— Ta mère garde pas le petit, elle travaille!

— Ben toi, papa, t'es pas manchot, tu peux le garder.

«Je pourrais, c'est sûr, mais je dois me trouver une autre job au plus crisse.»

— Ton père a pas le tour avec les bébés, pis il travaille, lui aussi.

— Mettez-le à la garderie comme tout le monde.

— Gen, il est ben trop petit pour la garderie… Voyons donc!

Filippo, du haut de son mètre soixante, intervient en prenant un air sérieux.

— Je suis d'accord avec ta mère, mon fils doit être élevé dans une famille, pas autrement.

Ils se mettent tous à parler en même temps, le bébé pleurniche. Une infirmière apparaît et s'informe si tout va bien. Ce qui les fait taire. Robert referme la porte et se plante carré devant Filippo, mal à l'aise de la tournure des choses. Il le prend par les épaules et le fixe avec autorité.

— Ma fille a juste dix-sept ans…

— Presque dix-huit, p'pa!

— Un, ma fille part pas pantoute au Mexique! Deux, ma fille part pas avec un homme qu'elle connaît pas. Trois, ma fille va pas aller vivre avec un homme qu'elle aime pas… Ça fait que, salut, bon voyage, amuse-toi bien, jeune homme! Viens-t'en, Mimi, ou je vais le frapper.

— Le petit a pas fait son rot.

— Elle va s'en occuper, c'est à elle!

Mireille remet le bébé à sa fille et sort de la chambre, à la suite de son mari.

Geneviève ne semble pas être inquiète de leur réaction. Et puis elle a toujours fait à sa tête. Mais Filippo est dépité: son plan lui semblait pourtant sensé.

— Occupe-toi pas d'eux autres. On part pareil. Je connais ma mère, elle va s'en occuper, du petit. Elle adore les enfants.

— C'est vrai que tu m'aimes pas?

Elle vérifie la couche du bébé et la change illico, question de trouver la bonne réponse.

« La plage, la chaleur, un garçon qui aime mes rondeurs, le party à l'année, c'est mieux que ce que j'aurai jamais si je reste ici avec le petit. »

— Ben oui, je t'aime, voyons.

Et pour sceller son mensonge, elle l'embrasse… et lui tend le bébé.

— Il est tout sec maintenant. Ton fils… Notre fils… Fais lui faire son rot.

7

Il neige, de gros flocons comme de la ouate. Le trajet du retour vers la banlieue se fait dans le silence le plus total, mais, chose étonnante, Mireille et Robert se tiennent la cuisse comme quand ils se fréquentaient. Ils arrivent à leur bungalow.

La porte d'entrée est entrouverte, et des bourrées de neige s'engouffrent dans le vestibule. Ils pensent tout de suite aux voleurs, puis lancent, à l'unisson :

— Jonathan !

Soulagés, ils retrouvent leur fils qui, affalé sur le sofa, regarde un match de hockey, une canette de bière en main et un sac de crottes de fromage entre les jambes. Sa mère lui saute dessus. Elle a mille questions.

— Woh, woh, woh ! Les nerfs ! Capote pas, j'étais chez mon chum Simon. J'ai dormi là. J'ai-tu le droit ? J'avais besoin d'air.

— La juge a dit qu'il était préférable que tu dormes chez nous pour un bout. Pourquoi tu répondais pas à ton cell ? T'as pas le droit de nous inquiéter pour rien…

— J'avais pas le fil pour recharger mon cell.

— Tu mens, Jo… Ton père a raison. Je t'ai surprotégé, trop, j'ai eu tort. C'est fini, mon garçon.

Robert, qui sent que sa femme va dépasser les bornes et commencer à renoter, s'en mêle.

— Va te reposer, Mimi, je vais y parler.

Elle le crucifie du regard et monte à l'étage en bougonnant: «C'est trop dans une seule journée.» Elle aurait envie de se jeter sur le lit pour brailler un bon coup, mais se ravise. Plutôt parler à Clara!

***

— Qu'est-ce que je vais faire, Clara? J'ai pas assez d'être ménopausée, s'il faut en plus que je redevienne mère à mon âge... Est-ce qu'il faut que je me sacrifie encore pour mes enfants? Il me semble que j'ai donné en masse. Là, avec leur attitude, je suis en train de virer folle. Pis notre couple s'en va chez le diable à cause d'eux autres. Déjà que ça marchait sur des roulettes carrées entre Bob et moi.

— Mimi, d'abord, calme-toi. Prends un moment pour réfléchir. Tu crois pas qu'il serait temps que tu penses à toi?

— Comment je fais ça quand on a deux ados pis un bébé qui me tombe dessus, comme un poil sur la soupe?

— Ta fille a presque dix-huit ans, ton fils vingt, laisse-les prendre leurs vies en main.

— Ils font des bêtises quand je m'en occupe pas.

— Ils en font même si tu t'en occupes.

Ce constat assomme Mireille.

— C'est pas ça, être mère... se sacrifier pour ses enfants?

— T'es pas que mère. T'es une femme. Il faut que tu vives pour toi maintenant qu'ils ont quitté le nid.

— Ils sont revenus dans le nid!

— Jette-les en bas… doucement. Ils t'aimeront pas moins.

— Je sais que t'as raison. Ma mère s'est sacrifiée pour moi, elle me l'a assez remis sous le nez.

— Tu vas chez ton docteur, d'abord. Il va t'aider avec tes chaleurs de ménopause. Et puis tu commences une nouvelle vie. Une vie sans enfants. Lâche prise.

— Comment on fait ça?

— Tu te forces à penser qu'à toi. C'est pas facile, je le sais, mais ça se fait.

— J'ai un mari, des enfants dans le besoin. Jonathan travaille pas, il a lâché ses études. Et Gen qui part au Mexique sans son petit.

— Ils pensent qu'à eux! Fais comme eux autres!

— Pas capable!

— Fais-toi confiance. Prends des décisions et assume-les.

— Ça va être la guerre. Ma famille acceptera pas que je change. Peut-être Bob, pis encore…

— Ils vont être surpris, c'est sûr, ils perdent leur servante, mais ils vont s'organiser, s'accoutumer.

— Ils ont tellement besoin de moi…

— Mimi, t'as le droit d'être au service de tes enfants si c'est ton choix. Moi, je te propose autre chose: fais ce qui te fait plaisir à toi. Si garder ton petit-fils te fait plaisir, garde-le. Si ça te fait pas plaisir, garde-le pas. On nous a tellement rebattu les oreilles qu'être mère c'était se sacrifier que ça a donné des mères victimes qui s'attendent à ce que leurs enfants prennent soin d'elles dans leur vieillesse. Résultat: ça a fait des petites vieilles amères et des enfants qui placent leurs parents sans nécessité. Dis-toi qu'il y a des phases dans la vie, et t'es rendue à celle de penser à toi en premier.

— Mais c'est de l'égoïsme !

— Si tu penses pas à toi, qui va y penser ?

Secouée, Mireille ne sait pas quoi répondre.

— Mimi ?

— Je vais essayer.

— Tu m'en donnes des nouvelles.

— Merci, Clara.

— Merci à toi, Mimi, de me rappeler qu'il faut que je lâche prise moi aussi ; j'oublie souvent de faire ce que je prêche.

***

Minuit approche. Dans leur lit, Mireille et Robert font semblant de lire leurs magazines.

« Si elle savait, pauvre Mimi, que j'ai perdu ma job, elle capoterait ben raide. Ils m'ont remplacé par une machine, sacrament ! Qu'est-ce que je vais devenir ? Va donc, toi, te chercher une job passé la cinquantaine. Va-tu falloir que je me fasse vivre par ma femme ? Jamais dans cent ans ! Faut pas que je braille. Un homme, ça braille pas. J'aimerais ça pouvoir lui dire ce qui m'arrive, mais elle a assez de sa ménopause, de sa fille, de son garçon et du bébé en plus… Ce qu'elle sait pas lui fait pas mal, comme on dit. N'empêche que parler me ferait du bien. Avant… ben avant qu'elle s'envoie en l'air avec mon frère Ti-Guy, je pouvais y conter mes troubles. Astheure, j'ai pu personne. J'ai personne au monde… »

Mireille éteint sa lampe de chevet et s'installe pour dormir, le nez dans son oreiller, l'édredon remonté jusqu'au cou.

« Je suis pas capable de penser rien qu'à moi. Mais c'est pas par grandeur d'âme. J'ai besoin de me sentir utile.

Dans le fond, ça me valorise que mes enfants aient besoin de moi. J'ai besoin d'être valorisée parce que j'ai pas d'estime de moi-même. Je suis bonne à quoi? Qu'est-ce que je vaux? J'ai pas réussi à devenir mince, pis ça fait plus de trente ans que je suis au régime. Je suis nulle sur la volonté, nulle sur l'autorité. O.ᴋ., je suis partie de laveuse de cheveux à propriétaire de mon salon, mais c'est un petit salon de quartier. Pis je me suis donné un mal de chien pour bien élever mes enfants: c'est des flops sur deux pattes. Je me demande même pourquoi mon mari reste avec moi, je suis pas fine avec lui. Clara voudrait que je pense à moi! Je veux pas penser à moi, je suis trop décourageante. »

Robert cligne des yeux de sommeil, il délaisse son magazine et éteint de son côté. Il fixe la nuque de sa femme, soupire tristement.

— Mimi, je te le dis pas souvent parce que c'est pas mon genre de dire ces affaires-là, mais… je t'aime.

— Comment tu fais pour m'aimer?

— Toi, comment tu fais?

— Je sais pas ce que je ferais sans toi. Je suis bien avec toi… Je t'aime.

Elle se retourne vers lui. Ils s'enlacent spontanément.

— Bob, je suis fatiguée d'être mère, mais à qui envoyer ma démission? On peut divorcer d'un homme, mais une mère, elle peut pas divorcer de ses enfants. Elle les a pour la vie, toute la maudite longue vie jusqu'à ce qu'elle meure vidée d'avoir tout donné à ses enfants.

— Moi aussi, ça me pèse, des fois. J'aimerais ça qu'ils nous lâchent, qu'ils fassent leur vie, qu'on vive un peu, tous les deux.

— Quand on est enceinte, on imagine notre enfant, un bébé cute pis fin, qui donne des gros becs. On l'imagine pas à vingt, à quarante, à soixante ans. Si on m'avait dit que faire des enfants c'était un engagement à vie…

— On les aurait faits pareil.

— Je sais pas. Des fois, je suis tellement tannée d'eux autres que j'ai envie de me sauver loin… avec toi. On se sauve-tu d'eux autres ?

— Une chance que personne nous entend, on passerait pour des sans-cœurs alors qu'on les aime, nos enfants…

— Ailleurs ! On les aime ailleurs, loin.

Ils rient. Un état de joie qui les rapproche.

— Qu'est-ce qu'on décide ?

— Hein ?

— Je te parle de Gen pis de son p'tit.

— Demain !

— Puis pour Jonathan ?

— Demain. Faut dormir, maintenant.

Elle cale sa tête contre sa poitrine. Elle aimerait bien qu'ils se fassent l'amour pour se calmer, se réconforter.

« C'est ben beau, les problèmes des enfants, mais le nôtre, notre problème, pas moyen d'en parler. Ça le choque. Pourquoi on parlerait pas de sa panne de désir ? Ça doit être de ma faute s'il bande pas. Je suis trop grosse, trop vieille, trop ancienne et, ça, il peut pas me le dire. Il lui faudrait une jeune poulette du printemps pour lui redonner son pep. Non ! Je suis pas généreuse à ce point-là. J'aimerais tant qu'il me caresse comme avant. Ben non, il va pas commencer quelque chose qu'il va pas être capable de finir. Je le connais. »

« Je la caresserais bien, mais je sais où ça va la mener, pis là où elle veut aller, moi je peux pas y aller. Alors je reste frette comme une banquise. Je veux pas avoir l'air cave du gars qui bande pas. Trop humiliant. Pourquoi je bande pas? Y a-tu quelqu'un qui pourrait me dire ce qui se passe? C'est-tu vraiment parce que ma femme est grosse? Elle l'a toujours été et j'ai toujours été attiré par les plantureuses. De dix-huit à trente-cinq ans, j'avais une érection permanente. Mon Jésus m'obéissait au doigt et à l'œil. Quand il a commencé à bouder, je l'ai pas pris. La première fois que ça lève pas, tu fais de l'anxiété, mais la deuxième fois, là, tu paniques. C'est ça, mon problème. J'accepte pas ça, moi, d'avoir peur que ça marche pas, ça fait que j'essaie pas. Quelle sorte d'homme je suis? Même pas capable de bander.»

— Mimi, dors-tu?

— Non.

— C'est-tu vrai que les hommes ont une ménopause?

— Ah non, on a assez de problèmes, tu vas pas m'arriver avec ça. Fais dodo.

Robert change de position, ferme les yeux, mais le sommeil ne vient pas. Les idées noires l'envahissent: son impuissance sexuelle, son licenciement, la peur de l'avouer à Mireille, le manque de revenus, sa fille, le bébé noir, son fils…

Il décide de se lever, d'aller vérifier sur Internet si la vue de seins et de belles fesses pourrait l'exciter. Au bout d'un certain temps, aucune scène porno ne l'émoustille. Il ne ressent aucun désir. Rien, rien que de la colère.

8

À l'étage, Étienne s'habille en vitesse, l'air préoccupé. Dans la cuisine, Clara ajoute de la compote de pommes et rhubarbe au gruau chaud qu'elle brasse.

« Bonne pour donner des conseils de couple, mais pas capable de les mettre en pratique dans le mien. Qu'est-ce que je veux au juste ? Que notre petite ferme continue d'exister. Que veut Étienne ? Prendre sa retraite ? Pour faire quoi exactement ? Et moi, qu'est-ce que je fais ? Qu'est-ce qui est mieux pour moi, pour lui, pour notre couple ? »

Elle est surprise de voir son conjoint dévaler l'escalier et se diriger tout droit vers le vestibule.

— Bien dormi, Clara ?

— Oui.

Elle ment, elle a passé la nuit à se demander quoi faire du reste de sa vie.

— J'ai ajouté ta compote préférée au gruau. Ça sent bon, hein ?

— Je déjeune pas. Avec mon groupe, on va manger pour fêter Pascal qui a trouvé un emploi à Halifax. On est tous contents pour lui.

— J'aurais aimé te parler du potager. On va pas le laisser aller en friche ? Prends au moins le temps de boire un café…

— Engage le fils Thibodeau pour t'aider. Je veux moins travailler cet été. Je veux m'impliquer dans mon groupe d'hommes, donner un coup de main pour l'organisation de nos activités de plein air. Je vais apporter mon café dans le thermos pour la route.

Clara blêmit, totalement déstabilisée. Elle lui prépare le thermos tout en tentant de se convaincre que, le beau temps revenu, Étienne va changer d'idée.

— Quand est-ce que tu reviens?

— Je sais pas trop.

Son anorak sur le dos, sa tuque et ses gants dans une main, il attrape sa serviette de cuir, puis le thermos que lui tend Clara.

— C'est où, ton déjeuner?

— C'est ça qui devient insupportable après des années de vie à deux.

— Quoi?

— Jamais être libre de faire ce que je veux.

— Mais moi non plus, je fais pas toujours ce que je veux… Hé, je t'ai juste demandé quand tu revenais!

— Je me suis rendu compte en thérapie que plus de cinquante ans de mariage, c'était long.

— Qui t'a dit ça? Ton fameux psy?

— Il est pas là pour me dire quoi penser, mais pour me faire découvrir ce que je veux dans la vie.

— Et tu veux quoi?

La voix de Clara tremble. Elle a peur de la réponse. Étienne ouvre la porte d'entrée, puis:

— Je le sais pas encore, mais disons que ça s'en vient.

— La ferme bio, c'est notre projet commun… notre…

— C'était ton idée.

— Mais t'étais d'accord!

— Comment, mon amour, ne pas être d'accord avec toi quand tu veux quelque chose ? J'ai jamais su prendre de décisions par moi-même, mais j'apprends !

Sur ce, il sort de la maison sans l'embrasser ni lui dire au revoir. Une fuite de peureux pour Clara, mais un début d'assurance chez Étienne.

***

L'autoroute est glacée par bouts, et les bourrasques soulèvent la neige des champs, rendant par moments la visibilité nulle. Les pensées s'emmêlent dans sa tête, Étienne file à toute vitesse.

« Je l'ai même pas embrassée, je lui ai même pas dit au revoir. J'avais trop peur de dire comme elle encore une fois. Elle va penser que je l'aime plus. Ce qui est faux. Clara est l'amour de ma vie, je veux terminer mes jours avec elle, mais je manque d'air. Je manque tellement d'air. »

Étienne descend la vitre et se laisse fouetter le visage par le vent glacial. Il prend de grandes respirations.

***

À la table de la cuisine, devant les restes de son petit-déjeuner, Clara boit son café, anéantie, proche des larmes. Elle tend la main vers le couvert intact de son conjoint.

« Qu'est-ce qu'il lui prend ? Il a dépassé son démon du midi, pourtant. Est-ce qu'il deviendrait sénile ? Non, il devient un autre. J'en ai peur, de cet autre, ce nouveau lui que je connais pas. Je vais aller voir son psy, lui dire qu'il a pas à lui mettre des idées de fou dans la tête. Là, je déraille, c'est moi qui ai insisté pour qu'il consulte. Qu'est-ce que je vais devenir ? Comment se fait-il que j'ai toutes les solutions pour les autres et que j'en trouve pas pour moi? Pas de recul. Trop impliquée émotivement, peut-être? Respirer par le nez comme je dis souvent à Mimi. Me calmer. Notre commerce va continuer même si le psy de monsieur veut pas qu'il se salisse les mains dans la terre, dans notre terre. Je l'haïs, ce psy-là!»

9

Ils sont nus dans le grand lit du défunt notaire, papa de Magali, nus comme au jour de leur naissance. Ils ont fait l'amour et se reposent de cette joute passionnée où les deux ont gagné. Elle est rouge, il est blanc et à bout de souffle.

— Un vrai terrain de jeu, le lit de mon père !

— J'aime mieux un lit moins grand. Pour se toucher la nuit quand on dort. Pis qu'est-ce que ton père faisait dans un king s'il vivait tout seul ?

— Dans une chambre immense, un lit double aurait l'air fou. C'est sa décoratrice qui l'a acheté pour lui.

— Vous êtes une famille weird. Des parents divorcés, un père notaire qui cache sa maîtresse à sa fille… une mère qui vit à l'étranger sans donner de nouvelles. Ça ferait un bon départ pour écrire une télésérie.

— Et la tienne, donc, ta famille !

— Des alcooliques, des brutes, je l'sais. On sera pas comme nos parents. Sûr que non. Nous autres, on vivra pas pour faire de l'argent comme ton père. En parlant d'argent, ta succession… me semble que c'est long à finaliser… En tant qu'étudiante en notariat, tu devrais t'en occuper un peu plus.

— C'est en train de se régler. Terminé pour moi, le notariat! Kaput!

— Hein?

— J'haïs ça! J'ai lâché mes cours pour de bon.

— T'es tombée sur la tête! Pis tu m'as rien dit, à moi, ton chum.

Samuel se lève d'un bond, ramasse son pantalon de pyjama, l'enfile et s'assoit dans le fauteuil, les yeux sur Magali, qui a tiré le drap froissé pour se couvrir et qui poursuit sa justification, en position du lotus.

— J'avais accepté d'étudier le notariat juste pour faire plaisir à mon père, j'avais arrêté parce que ça nous avait pas rapprochés pantoute, lui et moi. Il voulait que je sois meilleure que lui, j'avais pas le goût d'être meilleure que lui, pas envie de cette compétition. Ce sont les baby-boomers qui voulaient dépasser leurs parents, pas nous, les jeunes. Quand il est mort, je suis retournée aux études pour reprendre son cabinet, son nom, pour lui faire honneur, et j'ai encore plus réalisé que j'aime pas ça, rédiger des contrats, régler des successions, souvent avec du monde qui se déchire. Je veux bien travailler, mais faut que ce soit tripant. Ce que je veux, quand j'aurai tout l'argent dans mon compte de banque, c'est voyager, voir le monde…

— Tu voulais pas être comédienne pour me surveiller quand j'embrasse des belles actrices!

— Pas du tout! Je trouve enfantin de jouer la vie plutôt que de la vivre.

— Y a rien de plus noble que de distraire ses semblables, tu sauras, de les nourrir intellectuellement.

— Je veux… vivre ma vie.

— C'est pas un métier, ça!

— Je veux pas sacrifier ma vie pour une carrière comme l'a fait mon père. Je veux que l'héritage serve à une seule chose : mon plaisir ! Ma priorité, c'est pas d'être riche, c'est pas de réussir dans la vie, c'est de réussir MA vie en ayant du fun, voyager, habiter dans les gros hôtels chers, m'acheter tout ce qui me tente. J'aime ? J'achète ! Vois-tu le trip, mon beau Sam ?

— Non, je le vois pas.

Elle ne l'entend pas, elle rêve :

— Je pourrais faire le tour du monde en première classe, aller à Paris, me louer une décapotable et filer en Provence. J'ai toujours rêvé de faire le tour de la France en décapotable. Je suis déjà allée en Espagne en camping sauvage. De la merde !

— PIS MOI ?

Il l'a dit assez fort pour la faire descendre de son nuage.

— Tu viendras avec moi.

— Pis mes études ?

— Tu étudieras à Paris…

— Et c'est toi qui vas payer ?

— Ben oui !

Samuel mesure douloureusement le gouffre qui existe entre lui et sa blonde, nouvellement héritière de plus d'un million de dollars. Ils sont pourtant de la même génération.

— J'aime ça, moi, étudier, gagner ma vie, travailler.

— Le travail, le travail… c'est pas tout dans la vie ! Je me vois très bien à ne rien faire, à perdre mon temps… Le monde est un immense buffet. All you can eat ! J'ai faim, ben faim !

— Hé, Magali, réveille !

— Ma priorité absolue, c'est le plaisir. Si j'aime mon travail, si j'ai du plaisir à le faire, d'accord, mais si ce travail m'ennuie, je fous le camp.

— C'est des paroles d'enfant choyée. Moi, j'en ai jamais eu, d'argent, je veux en gagner.

— L'argent, pour moi, est pas une fin en soi, mais un moyen d'avoir une vie le fun. Point à la ligne.

— Je comprends pas que tu veuilles jeter par la fenêtre l'argent que ton père a mis des années à accumuler.

— Il me l'a légué, c'est MON argent, j'en fais ce que je veux.

— T'es une fille de riche, la réalité de la vraie vie t'a été cachée. Ton père s'occupait de régler les problèmes, même de les anticiper. Ton estime de toi a été gonflée par lui. Tu vois pas la vie de façon réaliste.

— Ce qui veut dire?

— Si tu dépenses tout ton héritage d'une fripe, compte pas sur moi pour te faire vivre par la suite. On est cent comédiens pour un rôle au Québec. Le salaire annuel moyen d'un acteur au théâtre est de moins de vingt mille dollars…

— Notre conversation est ben plate. J'ai faim. Je m'habille en vitesse, j'ai envie d'un bon italien. T'as pas faim, toi, après m'avoir fait jouir comme une déesse?

— On discutait, là… Quand je suis pas de ton avis, tu t'arranges toujours pour faire diversion.

— On va au resto! Un nouveau près de Milano, j'en ai entendu parler à la télé…

— T'es bonne cuisinière… fais un spag avec ta sauce spéciale.

— Je suis pas ta servante!

— Magali, crisse, y a du hockey ce soir, j'aimerais manger tranquille devant la télé. Pis je suis tanné des petits tas dans l'assiette.

— Petits tas dans l'assiette?

— Ben oui, un petit tas de purée de « je sais pas trop quoi », un petit tas de viande et un petit tas de légumes mélangés. Le tout arrosé de quelques gouttes de sauce…

Un long pull de cachemire sur le dos, Magali enfile maintenant un collant à motifs écossais, elle s'amuse de la litanie plaintive de Samuel.

— Ça s'appelle un coulis, mon amour.

— J'aime la cuisine étalée, les patates là, la viande là, les légumes à côté, pis de la sauce en masse sur le dessus.

— T'es niaiseux, mon amour. O.K., je vais faire le spag pour ce soir… J'ai de la sauce au congel, tu t'occuperas de l'entrée.

— Je suis pas bon là-dedans.

Et la sempiternelle querelle sur l'égalité dans le couple reprend.

Les Y, bien qu'ils confient des détails croustillants de leur vie privée sur le Web, détestent les conflits amoureux; ils en ont trop été témoins durant leur enfance. Même s'ils jurent de ne pas être comme leurs parents, à la première mésentente, ils se quittent plutôt que d'essayer de trouver des solutions.

En finale, épuisés par leur discussion stérile, ils se retirent chacun dans une pièce différente de l'immense maison. Samuel apprend les dialogues de sa pièce de théâtre dans le boudoir et Magali prépare le spaghetti aux tomates et saucissons qu'il aime, et une salade mixte vite faite, qu'ils avaleront plus tard devant la télévision, en silence.

Après la partie de hockey, ils se collent à nouveau dans le grand lit, le seul endroit où ils s'entendent, sans collision frontale.

10

Neuf hommes autour d'Étienne.

C'est à son tour de parler. Il est terrifié et s'accroche au siège de sa petite chaise de métal comme si elle était sa bouée de sauvetage. Lui qui est de peu de mots se demande ce qu'il va bien pouvoir raconter et par quoi commencer. Il ne veut surtout pas pleurer. Il a honte des étalages d'émotion de certains hommes de son groupe. Il savait bien que ce serait son tour un jour. Il s'était juré d'en dire le moins possible. Il aime écouter les autres parler, mais lui… parler. Le chef du groupe lui signale de commencer. Il ne peut reculer. Il croise les jambes, les décroise, il se racle la gorge. Il a une envie d'uriner, qu'il réprime. Il se mouche. Le silence est éprouvant. Les secondes passent. L'intervenant l'enveloppe d'un regard chaleureux. Étienne acquiesce d'un léger coup de tête.

— Moi, c'est Étienne…

— Bienvenue, Étienne !

— … et j'ai tué ma mère…

Le silence se fait plus épais. Tous le fixent avec curiosité. Un assassin dans le groupe !

— J'avais dix ans. Je nous vois dans la Ford de mon père. C'est l'hiver, il fait un froid de canard et mon père nous emmène, maman et moi, visiter mon oncle, le frère de maman qui se meurt du cancer de la prostate. Il est veuf depuis peu. Maman s'inquiète pour lui et, comme il n'a pas d'enfant, elle compte sur moi pour le distraire. Papa, tout à coup, se plaint qu'il a mal au bras, maman lui dit de le frotter, que ça doit être une crampe. Papa crie et lâche soudain le volant. L'auto qui allait à bonne allure dévie de la route et continue de rouler. Je fige. Maman tente de tourner le volant, rien n'y fait. Le canal Lachine apparaît…

Étienne, les yeux dans le vague, s'arrête. On respecte son moment. Il tousse plusieurs fois, extirpe un papier mouchoir de la boîte que l'intervenant a poussée devant lui. On pourrait entendre voler une mouche.

— Notre voiture glisse et plonge dans le canal, la glace se casse et l'auto s'enfonce dans l'eau. Papa a perdu connaissance ou est mort, maman essaie d'ouvrir la portière et y arrive pas. Je lui crie d'attendre que l'auto soit submergée pour ouvrir. J'avais appris ça dans mes cours de sauvetage à la piscine, mais maman entend rien et panique de plus belle. Elle brasse papa et, moi, derrière, je vois bien que la voiture va bientôt être submergée et qu'on va pouvoir sortir tous. En tout cas, c'est ce que je crois sur le moment. Étrangement, je suis calme. Enfin, on est au fond du canal, je peux ouvrir la portière de mon côté et je nage vers la rive pour aller chercher du secours. L'eau est glacée. Il y a quelques curieux qui me font signe de nager plus vite vers eux. Je leur crie qu'il y a deux personnes dans l'auto, mais ils ne semblent pas entendre. Je nage vers l'auto pour sortir et ramener maman avec moi. Je pense qu'à la sauver, elle. J'ai dans la tête « les femmes et les enfants d'abord ». Je tente d'ouvrir sa portière, je n'y arrive pas. L'eau du canal est en train de s'infiltrer dans le véhicule. Je dois remonter à la surface pour respirer un peu d'air. Je replonge pour, cette fois, voir maman qui flotte au-dessus de mon père toujours inconscient ou mort. Je remonte encore et, cette fois-ci, deux hommes m'agrippent – des policiers – et me tirent vers la rive. Je suis en hypothermie, qu'ils disent. Je hurle en pleurant : « Maman ! Papa ! Laissez-moi y retourner ! » Mais déjà ils m'enveloppent dans des couvertures et m'assoient sur la banquette arrière de leur auto-patrouille. Je crie : « Sauvez-les ! Allez chercher mes parents. Maman ! » Ses yeux ! Je les vois encore. Ses yeux qui m'implorent, sa bouche qui crie mon nom et moi qui reste là à la chaleur et qui ai pas le courage de replonger. Je l'ai tuée. J'ai tué ma mère pour vrai, pas comme dans le film de Xavier Dolan.

Étienne enfouit son visage dans ses mains. C'est la première fois qu'il raconte l'accident avec autant de précision. Le gros Roger, l'optimiste du groupe, marche vers lui et, sans un mot, le force à se lever pour l'enlacer avec affection.

— Tu l'as pas tuée, mon chum. C'est un accident !

Un autre les rejoint, il demande :

— Ton père ?

— Il était cardiaque… il nous l'avait jamais dit. Il paraît qu'il était mort avant que l'auto tombe dans le canal.

Tous les hommes viennent l'entourer en répétant : « C'était un accident, t'es pas responsable. » Un autre plus maladroit ajoute : « Ce serait plutôt ton père, le vrai coupable, qui a conduit avec un cœur malade… »

Étienne apprécie leur tendresse bourrue. Le chef du groupe propose une pause café et biscuits pour donner une chance à Étienne de se remettre de ses émotions.

Du plus profond de son être monte un sanglot qui éclate dans sa gorge et s'étire en un long cri de douleur, un cri qui ressemble à celui d'une femme qui accouche. Puis il fond en larmes, de vraies larmes, grosses d'avoir été retenues si longtemps, des larmes de fond. Les hommes le regardent pleurer avec empathie, comme la plupart ont fait à un moment ou à un autre de leurs témoignages. Maladroit, le gros Albert lui donne un coup de poing sur le bras.

— Braille, mon chum, tu pisseras moins!

Ses compagnons lui font un câlin. Ils sont si près les uns des autres qu'ils s'étouffent presque. L'intervenant est satisfait de la tournure des choses, surtout pour Étienne, le plus secret du groupe. «Ce serait bien de mettre sur Instagram une photo de ces mâles qui s'abandonnent.» Il prend son iPad, mais se ravise. L'émotion des hommes est fragile, un clic pourrait tout gâcher.

Après les hoquets qui suivent les larmes, Étienne se ressaisit. Albert lui a servi un café et deux biscuits aux pépites de chocolat pour faire diversion. Il a honte d'avoir pleuré, mais quel soulagement! Une sensation physique et mentale tellement nouvelle. Son gros secret est enfin sorti.

11

Le soleil printanier a fait fondre les buttes de neige. Robert est garé à un coin de rue de son bungalow, attendant dix-huit heures, l'heure où habituellement il rentre. Depuis un mois, il utilise ce subterfuge pour faire croire à sa femme qu'il travaille toujours. Il défait sa cravate, positionne le rétroviseur pour dépeigner sa couronne de cheveux et prend son air las de fin de journée.

« Je grisonne de plus en plus, c'est à cause du stress dû à mon chômage. Crisse de caltor de boss à marde. »

Cinq minutes plus tard, il entre par la porte reliant le garage à la cuisine, pose sa boîte à lunch sur la table, sa mallette sur une chaise.

— C'est moi !

Il ouvre le frigo, attrape une canette de bière, s'attendant à la réponse typique de sa Mimi : « Je pensais que c'était le voisin. » Mais cette fois-ci il n'y a que les pleurs du bébé qui l'accueillent. Il monte à l'étage après avoir englouti deux bonnes gorgées de bière. Il trouve Mireille dans la chambre de Geneviève, transformée en chambre de bébé.

— Es-tu en train de l'égorger, coudonc ?

— Je sais pas ce qu'il a. Il a mangé, il est sec. Je le promène, je le swingue, je le mets dans sa chaise musicale. Rien à faire. Pis sa mère qui se dandine au soleil du Mexique…

Robert se penche vers le petit lit, pose sa grosse main chaude sur la poitrine du bébé, chantonne quelques paroles et lui remet sa suce. L'enfant ferme à demi les yeux et s'apaise.

— T'avais juste à lui dire que tu voulais pas garder le petit. Astheure que t'as accepté…

Mireille a les yeux tels des pistolets.

— Toi, donne-moi pas de conseils!

— Bon, qu'est-ce que j'ai encore fait?

— Dis-moi-le donc, toi, qu'est-ce que t'as fait.

— Moi… rien… De quoi tu parles?

— Dis-le!

— Dire quoi?

— Que t'as perdu ta job!

— Qui te l'a dit?

— Laisse faire qui me l'a dit, le milieu de la coiffure est petit.

Le bébé se remet à pleurer de plus belle, apeuré par les cris des adultes.

— Prends-le, Mimi, les voisins vont finir par l'entendre. Ils vont mettre la DPJ après nous autres, pis…

— Tu t'en sauveras pas comme ça. Maudit menteur, faire semblant que tu travailles et passer tes journées à courailler au lieu de m'aider à la maison.

— Je perds ma job, pis c'est elle la victime!

— J'emmène le petit au travail, pis toi qui pourrais le garder, tu cours la galipote. Qu'est-ce que tu fais de tes journées, coudonc?

— Je me cherche du travail, tu sauras. Qui t'a dit ça, que je courais la galipote? Une de tes mémères de ton salon? Pis tu l'as crue, j'imagine?

— Arrête, Bob!

Elle a crié si fort que le petit s'est tu d'un coup. Ils sont surpris et soulagés. Mireille le recouche et entraîne son mari hors de la pièce après s'être assurée que le moniteur audio est bien à « ON ». Ils descendent au rez-de-chaussée. Robert, les oreilles molles, espère qu'il saura bien s'en tirer. Alors, léger, il demande :

— On mange quoi pour souper ?

Dans la cuisine, Mireille se tourne vers lui, écarlate.

— De la marde !

Il ne peut s'empêcher d'éclater de rire.

— Ris pas !

— Je ris pas.

Il l'attire à lui, l'embrasse dans le creux de l'épaule, relève ses cheveux, pose ses lèvres sur sa nuque, la mordille. Elle frissonne. Il lui susurre dans l'oreille :

— On a quoi avant qu'il se réveille à nouveau ? Dix minutes ?

— T'es sérieux ?

— Constate par toi-même.

Il lui prend la main et la met sur son érection. Ils remontent à l'étage et s'allongent sur leur lit, surexcités, sans prendre le temps de se dévêtir.

Ils sont allés droit au but et, cinq minutes plus tard, sont essoufflés et souriants.

— Tu te souviens, Mimi, avant qu'on se marie, c'étaient toujours des petites vites comme ça, des « entre deux portes ». Fallait se dépêcher en caltor. Fallait pas se faire pogner par tes parents. C'était le fun en maudit. Moi, j'aime pas ça, la planification. J'aime quand ça arrive, bing, bing, de même. T'étais en maudit contre moi, le temps était compté, ça m'a fait bander.

— Moi, c'est le contraire. Moi, j'aime ça, planifier des soirées romantiques qui vont se clôturer par l'amour qui va durer toute la nuit.

— On est pas faites pareil !

— J'ai pas haï ça quand même…

Ils s'enlacent, s'embrassent avec toute la tendresse du monde. Puis ils entendent des geignements. Ils se lèvent rapidement, rajustent quelque peu leurs vêtements pour accourir vers le petit qui s'est rendormi.

— Il est beau, hein, Bob ?

— C'est un amour.

— Quand il dort, oui !

— Pas juste quand il dort. Il me fait des belles risettes.

— C'est des grimaces.

— Il me reconnaît, je te dis.

— Il te reconnaît pas. Moi, il me reconnaît… c'est moi qui le change de couche, qui le nourris, qui le berce… Il reconnaît mon odeur, ma voix.

— Me semble que j'ai entendu ça quand Gen était petite. C'est pas parce que c'est le nôtre, mais c'est le plus beau bébé au monde.

— Et le plus grand braillard au monde.

Le petit sourit dans son sommeil.

***

Cette nuit-là, ils sont collés, collés dans le grand lit. Robert, après avoir raconté à sa femme les circonstances de sa perte d'emploi, s'inquiète de l'hypothèque, de l'argent qui ne rentrera plus comme avant, de leurs économies qui vont baisser.

— Je vais la payer, l'hypothèque. Le salon va bien.

— Je veux pas que tu me fasses vivre ! Je vais ben finir par me trouver une job. Le travail est la seule vraie valorisation dans la vie d'un homme.

— Des femmes aussi. Elles aiment ça, être valorisées par autre chose que la blancheur des chemises de leur mari.

— T'es virée féministe, ma grande conscience.

— Oui pis ?

Quand Mireille dit « oui pis », il ne trouve plus ses mots.

— Ça me choque que tu m'aies caché ta peine. J'aurais pu la partager avec toi. Tu m'as pas fait confiance.

— J'avais peur de me faire engueuler.

— Parce que je t'engueule, moi ?

— Pas tout le temps, mais pas mal souvent.

— C'est-tu vrai ?

— C'est parce qu'on veut avoir raison tous les deux.

« C'est parce qu'elle veut toujours avoir raison. »

Entre eux, un silence où ils réfléchissent. Puis Mireille lui prend la main.

— C'est plate que t'aies perdu ta job. J'ai de la peine pour toi. Mais j'ai confiance, tu vas trouver autre chose. T'es tellement bon vendeur.

— Si tu peux m'aider financièrement pour un temps, je serais ben content.

— Et tu sais… des petites vites, c'est mieux que rien.

— C'est pas de ma faute, je suis fait de même et ça changera pas…

— Je pourrais te dire la même chose. Moi, il me faut des caresses et je suis faite de même, pis ça changera pas. On va où comme ça ? On reste vissés dans nos positions, dos à dos ? Tu penses pas qu'on devrait mettre de l'eau dans notre vin chacun de notre bord? Je raccourcis ma nuit d'amour et t'allonges ta petite vite?

Robert rit de bon cœur.

— T'es quelqu'un, toi!

— Pis toi, hein?

Contents l'un de l'autre, ils échangent un bisou, puis un vrai baiser d'amoureux.

12

Éméché, Francis est entré en douce, il retire son perfecto et son foulard coloré qu'il accroche à la patère, puis il se défait de ses bottillons. Il avance vers le salon où soudain une lampe s'allume. En peignoir, debout, Claude l'attendait.

— T'as vu l'heure?

Amusé par l'attitude parentale de son conjoint, Francis consulte sa montre-bracelet et, contre toute attente, chante à tue-tête.

— Three o'clock in the morning…

— Pas si fort, Gaby dort! D'où viens-tu comme ça?

— You act like my mom and… it's not of your business.

— T'es allé courailler?

— Oh yes!

— Tu m'avais juré.

— J'ai rien juré. Je t'ai dit: « I will try. »

— Je t'avais demandé une seule chose: la fidélité…

— Tu m'as demandé la seule chose que je peux pas te donner.

— Tu m'aimes pas! Si tu m'aimais…

— Ce que je fais avec les autres, c'est du sexe. Avec toi, c'est de l'amour.

— Si tu m'aimais, tu ferais l'amour juste avec moi.

— Listen, j'ai un contrat tôt demain. Il faut que je dorme une couple d'heures.

Sans plus accorder d'attention à son conjoint, Francis va à la cuisine, prend un Perrier froid dans le frigo et se dirige vers l'escalier en le buvant. Claude lui bloque le passage.

— Non, faut régler ça tout de suite !

— Faut que je dorme, man !

— Jure-moi…

Excédé, Francis l'écarte. Claude résiste, mais son amant est costaud et il tombe de tout son long par terre. Ulcéré, Francis l'enjambe et monte à l'étage.

∗∗∗

Le lendemain matin, Claude fait déjeuner le petit Gabriel quand il entend la porte d'entrée claquer. Francis est parti sans se manifester. De la fenêtre, Claude l'observe monter dans sa voiture, reculer à toute vitesse et s'engager dans la rue.

Il habille Gabriel pour le départ vers la garderie. Une idée mijote. Il joint sa secrétaire : il a des problèmes avec sa voiture, il arrivera plus tard. Puis il téléphone à sa mère.

∗∗∗

— Je t'ai menti, maman. C'est pas pour Gabriel que je voulais te voir.

— Il me semblait bien que tu venais pas pour la digestion de ton fils, tout est sur Internet maintenant. Les grand-mères, on sert plus à rien !

— Papa est pas là ?

— Encore à Montréal, occupé par son groupe d'hommes.

— Ça te dérange pas trop?

Elle hoche faiblement la tête, triste.

— Au printemps, il y a beaucoup de choses à préparer pour le potager. J'ai pas son aide. Il m'a dit d'engager quelqu'un. J'ai un gâteau aux bananes qui cuit, ton préféré.

— Ça sent bon, mais j'ai pas faim. En tout cas, c'est pas sur Internet qu'on peut savoir comment les gais en couple font pour que leur relation dure.

— Je peux pas t'aider, je sais rien de vous deux. Tu m'as mise devant le fait accompli. Je sais même pas où vous vous êtes rencontrés, ni rien.

— Tu vas sauter.

— Eh bien, je sauterai, ça me fera faire de l'exercice.

— J'ai eu beaucoup de gars dans ma vie, des passades, des trips de…

— Sexe?

— Tu comprends, m'man, un jeune gars, ça pense tout le temps au sexe. Quand il sort avec une fille, elle lui met des balises, j'imagine, mais deux gars ensemble… c'est deux sexualités, disons le mot: explosives.

— Je comprends.

— J'ai eu des aventures d'un soir, j'ai été en couple deux ou trois fois, mais, au bout d'un an, je partais ou il partait.

— Après la passion.

— Dès que ça devenait sérieux, bye bye! Je voulais du sexe, pas de l'amour, ben… dans ce temps-là…

— Mais avec Francis, ça a été autre chose…

— Lui, je voulais l'aimer et je voulais qu'il m'aime pour la vie. Je voulais être en couple, faire comme vous autres, être heureux, quoi!

— Où l'as-tu rencontré?

— Euh… dans un sauna pour hommes, downtown Toronto. On était dans le bain de vapeur et je sais pas si c'est le fait qu'il soit plutôt noir et moi plutôt blanc… Je le sais pas trop. Les atomes crochus, sûrement… La différence…

— L'exotisme, la nouveauté, une sorte d'interdit.

— Ouais. En tout cas, il m'a suivi à ma cabine, puis on a fermé la porte… Maman, je peux pas te raconter ça…

— Je t'arrêterai si c'est trop de détails…

— On a baisé sans parler, durant une heure, puis il est parti.

— Il t'attendait à la sortie!

— Comment tu sais ça?

— Parce que t'as pas inventé l'amour, tu sais.

— Il m'a raccompagné à pied, puis je suis allé le reconduire. On parlait… parlait. Et comme on avait pas la même langue, ni la même couleur, on dirait que ça nous excitait encore plus. On était curieux l'un de l'autre, de nos pays, de nos cultures. J'avais jamais touché une peau noire… c'est comme du satin.

— Ah bon. C'est vrai que sa peau est douce.

— J'étais pas son premier Blanc, mais il était mon premier Noir. Finalement, au petit matin, je l'ai invité chez moi et il est pas reparti.

— Ça fait combien de temps de ça?

— Trois ans. La première année, ça a été la fusion complète. Écoute, on se servait de la même brosse à dents, c'est te dire si on faisait qu'un. J'étais fou, fou de lui. Je voulais toujours être avec lui. Je l'accompagnais sur ses plateaux de tournage. Quand je portais sa chaîne en or au cou, c'est comme si mon anglais s'améliorait…

Clara rit moins de la naïveté de son fils que parce qu'elle se reconnaît en lui.

— Et lui?

— J'ai toujours pensé qu'il m'aimait moins que je l'aimais…

— Il pouvait pas t'aimer de la même manière que toi. Il est différent de toi.

— J'aurais voulu qu'il soit moi, que je sois lui.

— C'est ça, la passion. C'est la phase un de l'amour. Et la deuxième année, ça s'est passé comment?

— J'ai voulu le changer pour qu'il pense comme moi, qu'il réagisse comme moi. Bien inutilement! Lui, c'était lui, moi, j'étais moi. Puis, comme j'avais un intense besoin d'un enfant, j'ai pensé que si on adoptait il cesserait de courailler, parce que Francis peut pas résister à une paire de fesses. Excuse, maman, mais il est comme ça…

Le fils et la mère restent un bon moment silencieux. Clara se lève pour sortir du fourneau son gâteau aux bananes qu'elle dépose sur une grille. Elle observe Claude, recroquevillé sur lui-même.

— Le gros problème entre lui et moi, c'est la fidélité. Lui, il a besoin de se taper plein d'hommes, et moi pas du tout. Je suis un fidèle de nature, comme toi et papa.

Clara pense à son désir l'année dernière pour son voisin Jean-Christophe, où elle avait bien failli tromper Étienne.

— Une fois, j'ai pensé l'avoir dans le détour. Je lui reprochais de me tromper. J'ai dit: «O.K., je vais te tromper moi aussi.» Il l'a mal pris et a fait valoir que, comme j'étais un fidèle naturel, ce serait plus grave… Enfin, un bizarre de raisonnement.

— Et?

— J'ai tout de même essayé de le tromper, juste pour lui montrer… J'ai pas été capable. Je me disais : « Comment est-ce que je vais faire pour le regarder dans les yeux après ? » C'est davantage une affaire d'honnêteté que de moralité, finalement. L'infidélité, c'est des mensonges, des tricheries, de la dissimulation. Cette nuit, il est rentré tard. Il puait l'after-shave cheap.

— C'est une preuve, ça ?

— Il me l'a avoué. Faut dire qu'il avait bu.

— Bon, au moins, il est honnête.

— Je veux un couple qui dure…

— Tous les couples qui s'aiment veulent un amour qui dure. Mais il s'agit pas juste de vouloir, il faut prendre les moyens pour que ça arrive. Des fois, c'est simple. La plupart du temps, c'est compliqué. La moitié des couples y arrive pas. Ils se séparent et recommencent avec une autre personne en croyant que cette fois-là sera la bonne.

— Toi et papa, ça a pourtant été simple, votre couple.

— Au début, oui, on était dans la phase un de l'amour, la fusion. Et après un an, la phase deux est arrivée, le déclin de la sexualité exacerbée, on avait autre chose à faire que de faire l'amour à journée longue… Et plus tard t'es né. On était plus deux, mais trois…

— C'est vrai que c'est plus comme avant depuis l'adoption, aussi on travaille fort tous les deux.

— Puis il y a le quotidien qui tue pas l'amour, mais qui amoche le désir, et l'inévitable découverte de la différence.

— Différence ?

— Au début, on pense qu'on est pareils, puis petit à petit on se rend compte que c'est faux, qu'on est différents et qu'on peut pas changer l'autre, on peut juste se changer soi. Et on s'aperçoit qu'il est pas le seul sur la terre, qu'il y en a d'autres, et que peut-être ça irait mieux avec un autre, que ce serait plus le fun. L'ambivalence s'installe. La phase deux, c'est le temps où on pense à bâtir un nid. C'est très fort, la nidation, chez les hétéros en tout cas. On est faits pour ça : un homme, une femme, un enfant, la famille.

— J'ai toujours voulu une famille. Le plus difficile, quand j'ai compris que j'étais gai, a été le deuil de la paternité. Ça m'a pris des années à accepter mon homosexualité, à accepter que je serais pas père, puis j'ai eu la chance d'adopter Gabriel.

— Francis, lui, il voulait pas être père ?

— Oui. Non. Je le sais pas vraiment. Mais moi je voulais qu'il se comporte comme un père, pas qu'il couraille. Je connais des couples de gais qui ont des ententes. J'ai même des amis qui sont trois dans leur couple…

— Ils sont pas jaloux ?

— Non, ça a pas l'air.

— Parce que j'imagine qu'il y a pas d'amour, juste du sexe entre eux.

— Non, il y a de l'amour. Ils ont une manière différente de penser, j'imagine.

— Ah bon !

— Qu'est-ce que tu ferais, toi, si papa te trompait ?

— Il y a dix ans, je t'aurais dit : « J'y coupe le zizi », mais, après tant d'années ensemble, je le sais plus. Même si on est séparés pour un certain temps, je sais qu'il me sera fidèle. Enfin, je savais… Franchement, si cela arrivait, je me sentirais trahie, et le pire, je perdrais confiance en lui.

— Tu vois, je tiens de toi, je suis entier comme toi.

« Si j'avais eu une aventure l'automne dernier avec Jean-Christophe, est-ce que je l'aurais dit à Étienne ? Non, probablement pas… »

— Maman, tu penses à quoi, là ?

Elle est tentée de lui raconter son désir pour son voisin, mais elle se ravise. Elle doit mentir, car, pour les enfants, une mère n'a pas de sexualité.

— Je pense qu'il faut que tu te demandes ce que Francis t'apporte, ce que toi tu lui apportes, pour voir si ça vaut la peine de continuer ensemble. Qu'est-ce que tu lui apportes ?

— J'apporte à Francis « le sérieux ». Lui, c'est un fafouin. Il a besoin d'encadrement, et je lui procure une certaine stabilité financière. C'est un travailleur autonome, il peut être des semaines sans contrat. Moi, j'ai un emploi stable, très bien rémunéré. Je lui apporte aussi de la tendresse. Lui a été élevé à la dure, ses parents avaient peine à joindre les deux bouts, ils avaient pas de temps pour l'affection. Je lui apporte la fidélité du corps et du cœur.

— Lui, qu'est-ce qu'il t'apporte ?

— La fantaisie. Tu me connais, je suis un homme casanier, mais j'ai besoin d'un brin de… folie. Et puis il me fait rire. Et aussi il m'apporte la beauté physique que j'ai pas et que j'admire. C'est important pour moi, l'esthétique du corps. Il est superbe. Si tu le voyais nu…

Clara, qui n'est pas faite de bois, l'a déjà imaginé à poil, mais ne l'avouerait pas à son fils.

— Moi, je te trouve très beau.

— Ça compte pas, t'es ma mère ! Et puis il me trouve intelligent. Et en plus il est toujours de bonne humeur alors que je suis un peu bougonneux. Il est actif, je suis passif.

Il réalise devant l'air interrogatif de sa mère que ce détail de la sexualité des couples gais lui est inconnu. Il enchaîne vite.

— On se complète, quoi. Je vais chercher en lui ce que j'ai pas. Et c'est l'inverse pour lui. Un match parfait, je trouve !

— Moi je suis active, ton père est passif.

Claude voit bien que sa mère ignore qu'en langage gai ces mots signifient des façons précises de faire l'amour entre hommes.

— Si on se complète, comment ça se fait que des fois il m'agace au point que je peux plus le voir en peinture ?

— Parce que la phase un de l'amour est terminée, et même la deux, celle où on se met en couple. T'es dans la phase trois. C'est la phase où on s'agace, où on se supporte pas, mais où on peut pas se passer l'un de l'autre. C'est la phase de la négociation. Alors on apprend à gérer les conflits, à choisir les batailles. On se dispute plus pour gagner, on discute. C'est ça, bâtir son couple pierre après pierre afin qu'il résiste aux intempéries.

— Arrête ! On dirait que tu parles d'une maison. Je te parle d'amour, maman. Moi je voulais que tu me trouves une solution pour changer mon chum. Là, tout ce qui me reste à faire, c'est changer de chum.

Clara éclate d'un bon rire, ce qui le rassure.

— Ça va être pareil avec un autre. Les mêmes étapes. C'est ça, l'amour.

— Je pensais, maman, que tu avais la recette du bonheur, que tu me la donnerais comme tu m'as donné celle de ton gâteau aux bananes. Finalement, je vais en prendre un morceau, avec un grand verre de lait. Comme quand j'étais petit.

— Chaque couple trouve sa propre recette du bonheur. Son équilibre, son harmonie. Des fois c'est facile, des fois non. Et puis l'amour sauve pas tout. Il y a des conflits qui ont pas de solutions, faut faire avec ou se séparer. Si tu penses que tu pourras jamais accepter l'infidélité de Francis, eh bien, faut le quitter. Tu le changeras pas à moins que lui veuille changer.

— Je sais pas quoi faire.

— En couple, on passe son temps à se demander quoi faire.

Sur ce, ils attaquent le gâteau chaud.

— Ça remplace pas l'amour, mais pas loin !

13

Tels des zombies, Nancy et Nicolas retrouvent leur voiture dans le stationnement de l'hôpital. Une fois dans l'auto, ils restent là à digérer la nouvelle : Nancy est atteinte d'un cancer du sein de stade précoce.

— Non, pars pas l'auto, Nicolas.

— J'ai hâte de retourner à la maison. De te prendre dans mes bras.

— Attends! Je suis tellement en colère.

— Prends de grandes respirations, mon amour.

Elle croise ses bras sur sa poitrine et le fixe, le regard en feu.

— Je fais que des bêtises. Je suis médecin et il a fallu que ce soit toi qui découvres ma bosse. On a adopté un enfant et j'arrive pas à m'en faire aimer. J'ai un mari extraordinaire que je vais perdre.

— Dis pas ça!

— J'ai tout raté. Ce cancer-là, je le mérite. Bien fait pour moi. Je vais mourir, puis tu vas être bien tout seul avec Lulu.

— Tais-toi donc!

Il démarre l'auto, paie le stationnement au guichet. Elle ne dit mot.

Quelques rues plus loin, à un arrêt, elle ouvre la portière, descend et court à toutes jambes. Nicolas baisse sa vitre pour l'interpeller en la suivant un moment en parallèle. Nancy l'ignore et il décide de lui laisser vivre sa douleur à sa façon. De plus, il doit prendre Lulu à la sortie des classes.

***

L'ambiance du souper est lourde. Nicolas n'a pas eu le cœur de cuisiner et ils mangent des grilled cheese avec des chips.

— Papa, est où, ta femme ?

— Tu dis « maman », pas « ta femme ».

— Elle est partie ?

— Non ! Elle va être là bientôt.

— Je te crois pas. T'as l'air trop triste.

— Lulu ! Maman va revenir !

— On espère, on espère, pis elles reviennent pas. Les femmes, ça abandonne tout le temps le monde.

— Nancy est pas partie, elle nous a pas abandonnés.

— Où elle est d'abord ? Tu te vois pas l'air…

— J'ai pas d'air.

— T'as l'air de moi quand maman partait.

Ému, Nicolas a débarrassé la table et regarde son fils qui boit son jus de cerise. Et s'il lui disait la vérité ? Il revient à la table, s'assoit tout près, le force à le regarder.

— Nancy vient d'apprendre qu'elle a un cancer du sein. Un gros.

— Gros comment ?

— J'ai pas tout saisi dans le bureau du médecin. J'étais sous le choc de voir Nancy paralysée par la nouvelle. Je sais pas non plus si elle a tout compris. Mais son docteur a dit que c'était possible qu'on lui fasse une ablation du sein. En revenant de l'hôpital, elle a voulu prendre un peu d'air. Elle voulait être seule, tu comprends, Lulu? Hein, tu comprends? C'est une mauvaise nouvelle.

— Elle va-tu mourir?

Nicolas se refusait jusqu'ici à penser à la mort, mais la question est directe, il doit y répondre.

— Je le sais pas.

Et pour ne pas pleurer devant son fils, il lui suggère de faire ses devoirs pendant qu'il range la cuisine.

— Elle va revenir, je te le jure.

***

Une heure dix-sept du matin. Tic-tac, tic-tac. Nicolas consulte souvent l'heure à l'horloge antique du salon. Dix-huit, dix-neuf... Une attente insupportable depuis qu'il a couché Lulu en lui promettant que Nancy allait revenir bientôt. Devrait-il téléphoner à la police? Partir à sa recherche? Non, il ne peut laisser son fils seul... Encore attendre et espérer qu'elle rentre bientôt. Parler à Clara, mais, vu l'heure, ce serait inconvenant. Nicolas a vraiment sommeil, il s'assoupit, ferme les yeux.

Les bruits de la porte d'entrée le réveillent en sursaut. Il se redresse. Nancy est là, ivre visiblement. L'horloge sonne les deux heures.

***

Dans la chambre, Nicolas déshabille sa femme qui se laisse faire, telle une poupée de coton. Il l'aide à s'allonger dans le lit alors qu'elle marmonne un jargon de femme en boisson. Et puis:

— Je vais... je vais vomir!

97

Elle tente de se lever et vomit dans les draps.

« Vomir l'alcool, vomir mon cancer. »

Tôt le matin, dégrisée, douchée, Nancy est dans des draps propres. Nicolas lui apporte un café fort et des toasts.

— Mange, mon amour.

— Je suis conne, comme si l'alcool pouvait me faire oublier que je vais mourir.

— Tu mourras pas, voyons.

— Je suis médecin…

— Il y a pas juste la science, mon amour, il y a toi, il y a ta volonté de guérir. Ou bien tu laisses le cancer t'avoir, ou bien tu le combats de toutes tes forces.

— Je vais perdre, je le sais. Je suis une perdante.

— T'as perdu en vivant avec moi ? T'as perdu en devenant pédiatre ? T'as perdu en adoptant Lulu ?

Nicolas sait toujours trouver les mots pour lui remonter le moral.

— J'ai peur.

— Je comprends que t'aies peur. Le cancer, ça fait peur.

— Je connais les statistiques. Le stade trois, on en meurt plus souvent, c'est plus grave.

— On en guérit aussi. Pense pas à celles qui en meurent, pense à celles qui s'en sortent, et décide d'être de celles-là.

— Lulu m'aimera moins quand il va me voir malade.

— Il va admirer ton courage. L'admiration, c'est pas loin de l'amour. Lutte pour toi, mais pour moi aussi. Moi, je veux que tu vives. Je t'aime, moi. J'envisage pas la vie sans…

— Sans seins ?

— Penses-tu que je t'aime juste pour tes seins? C'est ça que tu penses de moi?

— Tu vas m'aimer autant peut-être, mais me désireras-tu autant?

Le décolleté de sa robe de nuit en soie laisse deviner des seins fermes, des seins ronds. Puis, dans un flash, Nicolas imagine un torse plat, comme celui d'un homme. Il choisit de mentir:

— Pour qui tu me prends?

— Un homme. Je te prends pour un homme.

Il se tait. Enfin, il ne sait pas comment l'absence de seins de Nancy agira sur son désir.

— Ma décision est prise. Je refuse la chimio que le docteur me propose pour réduire la taille de la tumeur et j'opte pour la mastectomie totale.

— Ah non! Si c'est possible de réduire la tumeur avec la chimio, il va pouvoir juste t'enlever un petit morceau. Rien ne va paraître vraiment.

Un lourd silence s'installe entre eux. Les yeux embués, Nancy se lève et réchauffe ses mains sur sa tasse de café.

— Tu vas m'aider?

— Je vais t'aider.

Puis une petite voix se fait entendre:

— Moi aussi, je vais t'aider, maman.

Nancy n'a entendu que le « maman ». Elle voudrait le serrer dans ses bras et l'étouffer d'amour. Elle hésite, car, dès qu'elle s'avance, il a l'habitude de reculer. Nicolas est ému, fier de son fiston.

— Merci, Lulu, t'es ben fin. Maintenant, va dormir.

— Je peux pas…

— Pourquoi?

— C'est l'heure de mon déjeuner.

Nancy et Nicolas pouffent de rire. Heureux, l'enfant en fait autant.

14

La date de l'intervention chirurgicale n'est pas encore confirmée. Pour oublier son état, Nancy agit comme si de rien n'était. Pour meubler l'attente insupportable, elle a doublé les rendez-vous à son cabinet, elle a entrepris de faire faire un grand ménage de la maison et, le soir, quand Nicolas est à son resto, elle visite les sites d'achats en ligne.

La seule chose qui est différente est l'attitude de Lulu. Il ne s'approche pas plus d'elle mais l'appelle «maman»... Pas «m'man», mais un «maman» dans un accent français comique copié des «bonhommes» à la télévision.

Ce dimanche de mai, dans des chaises Adirondack, Nancy et Nicolas prennent du soleil sur la terrasse de leur chalet qui domine les montagnes laurentiennes. Lulu est à l'intérieur devant des dessins animés.

— Tu devrais annuler tes rendez-vous. Tu travailles trop, il faut te faire des forces avant la chirurgie.

— Quand je travaille, je pense pas au cancer.

— Tu devrais faire juste ce que t'aimes.

— Quand je travaille, c'est exactement ce que je fais. C'est drôle, mais, depuis que je sais que j'ai un cancer, on dirait que... que... que je prends davantage la vie au sérieux. Vivre, c'est ce qu'il y a de plus important. Ce que je prenais pour des plaisirs me semble futile maintenant que je sais que je vais peut-être mourir. Une grosse auto, un beau bateau, un superbe chalet… à quoi ça sert si t'es mort?

— Tu mourras pas, chérie.

— Nicolas, je sais même pas si je veux vivre amputée d'un sein ou des deux.

— Oui, tu veux vivre.

— Pourquoi?

— Parce que j'ai besoin de toi, parce que t'as un enfant qui a besoin de toi.

— Oui, mais moi, moi, est-ce que j'ai besoin de moi, infirme pour la vie?

Nicolas ne sait pas quoi ajouter, il n'a pas les mots des thérapeutes. Il ne peut que lui embrasser la main et la consoler d'un sourire.

— Nicolas, dis-moi que j'ai pas le cancer. Dis-moi que ça se peut pas que j'aie le cancer. Pas moi, hein?

Il ne peut pas lui dire: «Pourquoi pas toi? Le cancer ne fait pas de discrimination.» Il ne peut que faire dévier la conversation.

— C'est quand ton prochain rendez-vous?

— Il me reste l'IRM à passer. Ils vont m'appeler. Après, quand le chirurgien aura tous les résultats des examens, il va pouvoir fixer une date pour l'opération.

— Je veux être avec toi pendant ton séjour à l'hôpital, et à la maison par la suite. Je vais m'arranger au resto. Nous deux, on va former une armée pour combattre le cancer. À deux, on est plus forts. On est plus que des amoureux, on est une équipe de combattants. On va guérir!

Nancy, un brin consolée, prend une décision: celle de se battre pour lui, pour Lulu et pour ses petits patients qui ont besoin d'elle, et pour elle, pour vivre tout simplement.

***

Couchés dos à dos, Nancy et Nicolas sont chacun perdus dans leurs pensées.

«Il me touche plus les seins. Je pourrai plus jamais avoir de plaisir puisque l'excitation de mes seins m'amenait à l'orgasme. Ma vie sexuelle est terminée, elle est foutue et j'ai à peine quarante ans. »

«Mon rituel était toujours le même : des baisers, puis des caresses et des succions de ses seins. C'était là le vestibule de son plaisir. Comment passer par-dessus ça ? C'est pas que j'aie mal au cœur d'elle, mais de savoir qu'un cancer la ronge là où je suce… pas capable. Faut pas qu'elle sache que j'ai dédain de son cancer. Jamais ! Je devrais pouvoir surmonter ce dédain-là, je devrais et… »

— Nicolas, dors-tu ?

— Non, toi ?

— Ben non, je te parle !

Ils rient en même temps. Ce dialogue-là fait aussi partie de leur rituel. C'est ce qu'ils se disent tard le soir quand ils veulent se parler sérieusement.

— Je me déçois. Je me pensais plus forte. J'ai peur de tout.

— Il y a de quoi avoir peur, mon amour. Moi aussi, j'ai peur pour toi.

— C'est pas mal, hein, d'être… d'être pas forte ?

— Non. Viens dans mes bras, je suis là. On est deux.

— Prends mes seins !

Nicolas hésite, puis, surmontant l'image d'un crabe vivant dans le sein de sa femme, il le lui caresse, mais ce geste auparavant déclencheur de jouissances ne déclenche rien, rien que de la peur.

15

Dans les jours qui suivent, Nicolas s'arrête chez Clara pour lui raconter son malheur.

— Elle va mourir, je le sais, je le sens.

— Tu penses qu'elle survivra pas à son cancer?

— Et je suis pas certain d'être capable de la soigner après la chirurgie. Je suis pas fort face à la maladie.

— T'as peur de pas être capable d'en prendre soin?

— Je veux pas rester seul avec Lulu.

— T'as peur de la perdre?

— Oui. Je viens de me rendre compte que je tiens à elle comme à la prunelle de mes yeux.

— Tu l'aimes et t'as peur qu'elle meure.

— Oui, c'est ça. Oh, Clara, merci! T'es toujours de bon conseil.

« Étonnant qu'il croie que je lui ai donné des conseils alors que j'ai juste reformulé sa pensée. »

— Merci, Clara, je me sens mieux. Si je t'avais pas, toi!

Il l'embrasse sur les deux joues.

— Chaque fois que je viens te voir, chaque fois, je repars plus calme, plus serein, avec l'espoir au cœur. T'es une distributrice d'espoir.

— Faudrait bien que je m'en serve une bonne grosse portion.

— Toi, t'as pas besoin de ça, l'espoir, t'as tout : un mari en or, un fils en or, un petit-fils en or, des clients en or, un potager en or. Que demander de plus ? Hein ?

Elle sourit, elle ne démentira pas la perception de Nicolas alors que dans son cœur il y a une blessure qui ne guérit pas.

***

Au retour de la partie de soccer de Lulu, Nicolas trouve Nancy couchée sur le sofa du salon, les yeux fermés, un sac de glace sur le front. Sur la pointe des pieds, Lulu suit son père dans la cuisine pour ne pas la réveiller.

— Elle va mourir ?

— Dis pas ça. Je te défends de dire ça. Elle va pas mourir.

— Parce que, moi, mes mères, elles restent pas avec moi ; elles s'en vont tout le temps. Depuis que je suis né, c'est de même. Elles sont pas mortes, mais elles partent, pis moi après j'ai de la peine comme si elles étaient mortes.

— Nancy mourra pas !

— Jure-le !

— Euh… je sais pas. On sait jamais, mais je veux qu'elle vive.

— Toi, vas-tu me garder si elle meurt ?

— Ça, je peux te le jurer. Il y a rien, rien qui va me séparer de toi. Jamais !

L'enfant se jette dans les bras de son père qui lui dit, après un gros câlin :

— Mange une collation, il y a des barres de fruits comme t'aimes. Moi, je vais aller donner un bisou à maman.

— Moi aussi !

Dans le salon, sentant leur présence tout près, Nancy ouvre les yeux.

— L'opération est dans quatre semaines.

— C'est une bonne nouvelle. Plus vite tu seras opérée, plus vite tu guériras.

— C'est pas une bonne nouvelle, ça veut dire que la tumeur cancéreuse est tellement grosse qu'il faut enlever le sein au complet.

Nicolas s'assoit, comme frappé en plein cœur.

— Maman, ça fait-tu mal, l'opération ?

— Non, Lulu, non. Je vais être anesthésiée. Et puis maman est capable de passer à travers ça parce qu'elle a un grand garçon qui…

Elle ne termine pas sa phrase, se rappelant la recommandation de son collègue et ami docteur : « Laisse-le venir à toi, ne l'effarouche pas avec tes démonstrations d'amour. N'oublie jamais que les femmes l'ont blessé et qu'il a peur que ça recommence. »

— Ce que je veux dire, c'est…

— Je veux pas que tu meures. Jure-moi que tu vas pas mourir. Jure !

Les appréhensions de Nancy s'effacent, elle est terriblement émue en voyant le visage soucieux de son fils.

« Il m'aime ! Enfin, il m'aime ! Il a fallu un cancer pour qu'il m'aime. Mais je peux pas le tromper sur mon état de santé. »

— Viens ici.

Elle l'entoure de ses bras, elle voudrait le serrer davantage, mais elle a encore peur de ses réactions.

— T'as neuf ans…

— Et demi.

— Je veux pas te traiter comme un petit garçon à qui on cache la vérité parce qu'il comprendrait pas. Toi, t'es mûr pour ton âge, alors je vais te tenir au courant de l'évolution de ma maladie, comme je le fais avec ton papa. J'ai pas besoin de pitié, juste de votre soutien à tous les deux.

Nicolas, témoin de leur échange, se mord l'intérieur des joues pour ne pas pleurer. Une si grande joie provoquée par un si grand malheur.

— Et puis, mon grand, t'as le droit de pleurer. Si tu pleures, papa va pouvoir pleurer lui aussi. Et moi aussi. Tiens, on va fonder le club des braillards. Règle de base : on se cache pas pour pleurer. Quand on en sentira le besoin, on va pleurer ensemble et après on rira parce qu'on se donne le droit de rire aussi.

Lulu fait un high-five à ses parents. Nicolas renifle, content de ne plus avoir à jouer la comédie. Ils ont tous les trois la larme à l'œil et le sourire aux aguets.

— Alors voici où j'en suis.

Et pour la première fois, Nancy parle à son fils du cancer, de son cancer.

— Il y a autant de sortes de cancer que de femmes atteintes. C'est un phénomène biologique que les médecins comprennent pas encore. Peut-être que la recherche va bientôt trouver le génome qui cause le cancer et un vaccin qui pourrait le prévenir et le guérir.

Ils sont maintenant tous les trois collés, collés sur le grand sofa.

— Une tumeur cancéreuse a poussé dans mon sein. La médecine croit qu'une tumeur cancéreuse de un millimètre met de trois à cinq ans à se former. J'ai consulté la clinique du sein à l'hôpital et, après une biopsie où le chirurgien-oncologue a pris un échantillon de la tumeur, j'ai appris que c'était positif et que mon cas était au stade trois. Je suis chanceuse, Lulu, j'aurais pu avoir un stade quatre, ce qui aurait signifié que le cancer s'est répandu ailleurs dans mon corps. La tumeur est donc juste dans un sein et aux ganglions. Le cancer, on le mérite pas, on l'a et, quand on l'a, il faut l'enlever. C'est ce que le docteur va faire. Il croit maintenant, d'après d'autres examens que j'ai passés, que le mieux, ce serait…

Nicolas, qui n'a pas été avec elle à la dernière rencontre avec l'oncologue, a peur de la suite.

— … d'enlever les deux seins par précaution. Mais j'ai rien décidé pour le moment. Ça dépend de moi seulement.

Lulu n'a pas trop conscience de la gravité de la maladie de sa mère. Et comme les films fantastiques le passionnent, il s'exclame :

— Cool, tu pourrais avoir des seins virtuels !

Ce qui fait sourire Nancy.

— Sais-tu, Lulu, je vais en parler au docteur. Ça doit se trouver sur Internet. Pourquoi on commanderait pas une pizza pour souper ? Hein ? Qu'est-ce que t'en penses, Nic ?

— Dis oui, papa…

— C'est d'accord, monte mettre ton pyjama. Oublie pas : ton linge sale dans le panier, pas à terre.

Et pour la première fois, Lulu flanque un bec retentissant sur la joue de Nancy et décampe en chantonnant : « Pizza-pizza. »

— T'as vu ce qu'il vient de faire ? C'est la première fois.

— Comme ça, ce serait mieux pour toi qu'il enlève les deux seins…

Il a ce ton neutre qu'il prend pour cacher ses émotions.

«Ah non. Pas enlever ses seins. Ils sont à moi, je les aime. Ils m'excitent. Je veux pas! Comment on va faire? Je veux pas! Je suis odieux! Penser à moi, à mon fun. J'ai honte.»

— Bon, je commande la pizza…

Nancy connaît son mari, elle devine son désarroi qu'il tente de lui cacher. Elle est troublée.

«Je pourrai plus me regarder dans le miroir. Je serai plus une femme. Je vais être amputée. Nicolas m'aimera plus. Je sais bien qu'il m'aime pas juste pour mes seins, mais, quand même, des seins, c'est érotique. Qu'est-ce qui va arriver à notre couple si je suis plate comme un homme? Et puis je les aime, mes seins, ils font partie de mon identité de femme. Est-ce que le docteur m'a parlé de reconstruction? J'ai pas compris tellement j'étais sous le choc. Et Nicolas qui était pas avec moi pour écouter. Je me souviens que le docteur m'a recommandé de profiter de tous les bons instants de la vie. Je voyais pas où on pouvait trouver des bons moments avec un cancer si avancé. Eh bien, il avait raison, je viens de vivre une grande joie avec Lulu. J'ai quasiment envie de remercier le cancer. Non!»

***

Il est près de minuit, ils ne dorment pas. Nancy se cale contre la poitrine de son mari.

— Il m'a encore embrassée avant son dodo.

— Il m'a dit qu'après l'opération c'est lui qui va s'occuper de toi.

— C'est un amour de petit bonhomme.

— Il se sent utile. J'aurais dû être avec toi à l'hôpital à ta dernière rencontre.

— Le chirurgien-oncologue m'a parlé de la mastectomie des deux seins pour pas que je sois surprise à mon réveil.

— Si ça te sauve la vie, il y a pas à hésiter, mon amour.

— Mais toi, toi qui aimes tant mes seins, qu'est-ce que tu vas devenir?

— Amoureux de tout ce qui reste, et il y en a. Savais-tu que t'as les orteils les plus sexées au monde? Surtout le petit droit qui a l'air d'un cachou. Et tu sais comment j'aime les cachous.

— T'es fou!

— De toi! Je veux que tu vives, chérie. Et maintenant qu'on a une famille, encore plus.

Ils s'enlacent tendrement.

— Ce combat-là, Nancy, tu le feras pas toute seule. Je vais être là. Tu peux pleurer, crier, m'envoyer promener, je vais t'aimer.

16

Depuis l'infidélité de Francis, ils se sont plus ou moins évités, Claude voulait davantage soupeser les conseils maternels. À l'étage, Francis, qui s'est occupé de mettre Gabriel au lit, allume la veilleuse et quitte la chambre sur la pointe des pieds. Il rejoint Claude qui, à la grande table de la salle à manger, est concentré sur sa tablette numérique.

— The little devil! Il me demande un conte et choisit le plus difficile : *Le Corbeau et le Renard*. Plein de mots que je connais pas. On a ri comme des petits fous. Une chance qu'il y avait des belles images.

— Faut pas l'exciter avant de le coucher, ça l'empêche de dormir.

— On a pas le droit de rire ?

— S'il dort pas après…

— Il dort déjà comme un ange. Come on ! T'es ben straight !

— Je m'excuse, je suis pas cool.

— Qu'est-ce qui s'est passé ?

— J'ai réfléchi à notre couple.

— Un couple de gais, ça réfléchit pas, ça baise !

Et Francis se jette sur lui, l'entraîne vers le sofa. Claude le repousse.

— Je parle sérieusement, là.

Et Claude reprend les paroles de sa mère à quelques mots près. Francis l'écoute poliment, puis quand il peut placer un mot :

— La différence, my love, c'est qu'on est deux hommes dans notre couple. Il y a pas un pourvoyeur et un soumis, il y a deux indépendances, deux ambitions, deux supériorités...

— Hein ?

— On est deux, how do you say : mâles. On lutte chacun de notre côté pour garder notre statut de... mâle ! On veut l'égalité totale between us. Je veux pas que tu me protèges, je veux pas que tu me gâtes, que tu me fasses vivre, pas toi devant et moi qui suis. Understand ?

— Je sais.

— Your model, tu me le dis assez souvent, c'est tes parents. Deux hétéros. Ça peut pas marcher comme ça nous deux. On est deux mâles. Damn !

— Deux êtres humains !

— Homos !

La discussion est terminée. Ils savent tous les deux que s'ils la poursuivent ça va mal tourner, alors ils se taisent. Claude retourne à sa tablette numérique et Francis choisit une émission culinaire à la télé américaine.

***

Vers minuit, alors qu'ils sont couchés dans leur grand lit, Claude hésite, puis se tourne vers son conjoint sur le point de s'endormir.

— Il y a pas moyen de discuter avec toi quand tu me jettes dans la face que tout ce qu'on fait, c'est baiser. Oui, on baise, mais il y a autre chose que la baise. On s'aime, nous deux. En tout cas, moi, je t'aime.

Francis bouge, s'étale dans le lit.

— Avoir su que tu me parlerais tout le temps de tes états d'âme…

— Oui?

— J'aurais jamais appris le français!

Ils éclatent de rire et, tels deux gamins, ils se mettent à se tirailler. Leurs sens en deviennent exacerbés, quand tout à coup:

— Arrête, Claude. Entends-tu?

— Continue…

— C'est Gaby!

— Il rêve. Continue…

— J'y vais!

Francis se déprend des bras de son amoureux.

— Laisse tomber, Francis, la nuit, c'est moi qu'il veut.

— J'y vais, là.

— Non, c'est moi!

Le ton autoritaire de Claude déçoit Francis. Claude enfile son peignoir pour camoufler tant bien que mal son érection.

— Garde le lit chaud…

À son retour, Francis est couché sur le flanc, dos tourné.

— Il avait juste soif. Tout va bien. Il s'est vite rendormi.

Le silence de son chum l'agace.

— Bon, Francis, quoi encore?

— Tu me reproches de pas m'occuper du baby et quand je veux m'en occuper…

— Je m'excuse.

— Tu fais toujours ça.

— C'est pas vrai, je t'ai laissé le border ce soir… lui raconter une histoire.

— Une fois de temps en temps !

— Tu l'aimes pas vraiment.

— Tu veux pas que je l'aime.

L'accusation est difficile à avaler. Après un lourd silence, Claude admet :

— C'est vrai, Francis. J'ai tort. Je vais essayer de…

— I am fed up, je suis tanné d'essayer. Ça fait trois ans que j'essaie de former un couple avec toi. On est d'accord sur rien, sauf sur le sexe. Le sexe, je peux en avoir partout, mais l'amour… je pensais qu'on pouvait, nous deux…

Là, Claude tombe réellement des nues.

— Je pensais que tu voulais juste le sexe, pas de l'amour.

— Listen, je suis ici au Québec. Si je t'aimais pas, je serais pas là à me casser la mâchoire à apprendre le français. J'aurais pas quitté mes amis ni mes opportunités de contrats dix fois plus payantes à Toronto si je t'aimais pas. Come on ! C'est une preuve, ça !

— Je peux pas lire dans ta tête. C'est la première fois que tu me dis que tu m'aimes.

— I'm not French ! I don't use « je t'aime » like « bonjour ».

— Ça marchera pas, nous deux, on est trop différents.

— Loser !

— Je savais pas que tu y tenais tant que ça, à notre couple. Tu me dis jamais rien de tes sentiments, comment veux-tu que je sache ?

— Tu me parles juste de mes infidélités, jamais de mes sentiments. I'm not just a sex machine. J'aime ça être avec toi. J'aime ça être père. I love Gab. Bon, c'est assez, la thérapie.

Francis prend avec tendresse la tête de son amant, l'embrasse presque religieusement.

— I love you.

— Moi aussi, I love you.

— Bon, assez parlé, de l'action ! On est pas des femmes.

17

Le potager regorge de laitues : boston, romaine, frisée rouge, frisée verte, feuille de chêne, iceberg, buttercrunch, mélange de mesclun. Et le clou de leur récolte : la grosse blonde paresseuse. Sur la grande table de la salle à manger, des assiettes de laitues, respectivement étiquetées. C'est leur rituel annuel afin de couronner la meilleure d'entre elles.

Clara affiche une mine tristounette, car Étienne ne l'a pas beaucoup aidée au potager et elle a dû engager Mathieu, le fils de leur voisin, et deux de ses copains pour réussir à faire marcher leur commerce. De plus, Étienne affiche sans réserve son absence d'enthousiasme pour leur commerce bio. Il est occupé à administrer les ateliers spéciaux de son groupe d'hommes, à faire leur comptabilité.

« Peut-être qu'il aimerait mieux être à Montréal avec eux. »

— Commence, mon amour.

— Toi, commence…

— Ça fait bien douze ans qu'on l'a, ce rituel.

— Ouais, douze ans.

— Qu'est-ce que ça veut dire, ce ton-là ?

— J'ai pas de ton.

— T'as un ton.

— On parle plus, on goûte.

— C'est dommage. On a travaillé très fort toutes ces années pour notre commerce, on a appris de nos erreurs, et là qu'on commence à être pratiquement de vrais maraîchers, t'aimes plus ça.

— J'ai jamais vraiment aimé ça.

— Dis-moi pas ça après tout ce temps-là.

— C'était ton choix. T'as pris pour acquis que j'aimais tout ce que t'aimais. Tu m'as embarqué dans ton projet sans trop te soucier de moi.

— C'est maintenant que tu me le dis ?

— C'est maintenant que j'apprends à dire ce que je pense.

Clara pique une feuille de la romaine et lui tend la fourchette.

— Non, non, on va déguster pareil.

« Ça me tente tellement pas, son petit rituel niaiseux. Nos laitues s'équivalent ou à peu près. »

D'un geste agacé, elle l'incite à s'y mettre. Après chaque dégustation, elle note la laitue sur une fiche de pointage. Étienne opte pour la feuille de chêne, sa préférée. Il espère que le nuage gris va passer, qu'elle va arrêter de parler du potager. Mais le nuage s'épaissit plutôt.

— Tu t'es même pas souvenu que c'est notre anniversaire de mariage.

— Aujourd'hui ?

— Demain.

— Ah bon… j'y aurais pensé demain.

— Ton psy, est-ce qu'il t'a fait découvrir que tu m'aimes plus ?

— Je peux pas discuter avec toi de ce qui se passe en thérapie…

— M'aimes-tu encore, Étienne?

— Je t'aimais plus que je m'aimais. Là, on est en train d'inverser le processus.

— On était heureux avant, me semble… T'avais pas besoin d'un psy pour te dire quoi faire.

— J'avais toi.

« C'est qui, lui? C'est qui, cet homme devant moi? Je le reconnais pas. »

— J'apprends à m'écouter. À prendre seul les décisions me concernant.

— Je pense que je vais pleurer.

— Pourquoi? T'as passé nos cinquante-deux ans de mariage à me demander : « À quoi penses-tu? » Ben là, je te le dis.

— J'aime pas l'homme que t'es en train de devenir.

— Parce que tu perds le contrôle… Hein?

— Arrête de m'accuser d'être contrôlante. Si tu le voulais, le contrôle, t'avais qu'à le prendre.

Puis il y a un cognement sourd à la porte d'entrée. Et d'autres plus insistants.

— Je réponds pas, je suis trop en colère.

Après avoir regardé par la fenêtre de la cuisine :

— C'est Claude avec le petit et l'autre… Francis.

— Bizarre… ils nous ont pas avertis de leur visite.

Étienne va leur ouvrir et Gaby s'élance vers son grand-père. Dans la cuisine, Clara vérifie ses cheveux dans le reflet du grille-pain, puis elle retire son tablier.

À sa grande surprise, elle voit ceux qui étaient cachés sur la galerie et qui, tour à tour, pénètrent dans la maison. Tous ont des cadeaux en main. Il y a Mireille et Robert, Nancy, Nicolas et Lulu, Magali et Samuel, et leurs voisins Charlène, Jean-Christophe et leurs deux enfants.

Arrivent aussi des clients fidèles du village. Sur un signal de Claude, tous s'exclament :

— Joyeux anniversaire, Clara et Étienne !

Clara est émue, et le sourire affectueux et de connivence d'Étienne la surprend. Il savait tout de la fête-surprise. Claude lit une feuille manuscrite.

— Cher papa, chère maman. C'est demain votre anniversaire de mariage, mais aujourd'hui tout le monde était libre. On en a profité. Vous êtes un modèle pour nous tous. Votre amour est un phare qui nous éclaire. Votre exemple fait que parmi vos clients-amis, comme vous les appelez, pas un seul couple n'a divorcé. Pas un seul ! C'est beaucoup grâce à vous deux qu'on recolle les pots cassés, c'est grâce à votre exemple qu'on croit à l'amour qui surmonte les obstacles. On veut être heureux comme vous deux…

Clara lève la main :

— Claude, arrête s'il te plaît, j'aimerais beaucoup aller me changer, me recoiffer… Donnez-moi deux minutes…

— On vous attend dehors. On a plein de bonnes choses à manger et du mousseux bien froid.

***

Dans leur chambre, Clara et Étienne se changent en vitesse. Elle choisit sa jupe longue rose et son châle cubain à franges, il opte pour son jeans neuf et une chemise bleue. Sans échanger un mot, ni se regarder. Claude, qui apparaît dans l'embrasure de la porte, ignore à quel point sa petite fête tombe mal, même si son père en avait été averti. Il est surpris du regard fâché de sa mère.

— Fais-moi plus jamais ça !

Il regarde son père sans trop comprendre.

— Ta mère aime pas les surprises. Elle est pas coiffée à son goût, j'imagine.

— Maman, t'es belle. Pis change d'air s'il te plaît.

— On est pas un exemple, encore moins un modèle.

— Veux-tu qu'il renvoie tout le monde ?

— J'ai peut-être le droit de pas aimer fêter mon anniversaire de mariage cette année. Une fois en cinquante-deux ans ?

— Je peux leur dire que tu te sens pas bien, que t'es malade.

— Non, non, le mal est fait. C'est notre anniversaire, on va le fêter ! Ce sera peut-être la dernière fois !

Et, sur ce, elle sort de la chambre, suivie d'Étienne qui lève les yeux au plafond. Claude n'y comprend rien.

***

La journée se déroule néanmoins sans anicroche. Elle est un peu fraîche, comme l'ambiance d'ailleurs.

Vers la fin de l'après-midi, Claude réclame un discours des fêtés. Étienne monte les marches de la galerie qui va servir d'estrade, mais Clara se précipite, le double pour être la première à prendre la parole.

— Chers amis et clients, me faire surprendre sans que j'aie eu le temps de me faire coiffer pour cette fête… ça me fait pas plaisir. J'aime pas les surprises, mais puisque vous êtes là…

Tous rient et applaudissent, et Étienne est à demi rassuré, la chaleur et la générosité des invités ont su calmer la colère sourde de sa femme. Elle poursuit, radoucie :

— Merci d'être là. Merci de me montrer que j'ai une place dans votre cœur, moins à cause de mes légumes et mes petits fruits que parce qu'on communique ensemble. Ça me fait d'autant plus plaisir de vous avoir ici que c'est la dernière fois… oui, la dernière fois qu'on se rencontre tous… ici.

Étienne et Claude se regardent, intrigués.

— À la fin de la saison, ce sera la fin de notre ferme. Elle sera en vente parce que… parce que je suis pas un modèle, pas un exemple à suivre. Par égoïsme, j'ai privé Étienne, mon mari, de ce qui est le plus important pour lui : l'eau… L'EAU. Nous allons donc aller vivre près de l'eau, je sais pas où encore, là où mon mari voudra… Il pourra enfin faire ce qu'il aime, NAGER. Il m'a donné douze ans de terre, je vais lui donner douze ans d'eau. Je t'aime, Étienne. Plus que moi-même.

Elle l'embrasse sur la bouche, le fixe dans les yeux, cherchant son approbation. Mais il reste de glace. Seuls Claude et Francis saisissent le malaise. Les autres hésitent, mais finissent par applaudir à l'amour. Allégés par le mousseux et l'excellente nourriture, ils croient à une grande décision commune.

***

Tous les invités sont partis et le couple est maintenant dans la cuisine en désordre, face à face.

— Tu peux pas t'en empêcher, hein, Clara ?

— T'es pas content ? Je fais ce que tu veux.

— Oui, mais c'est toi qui décides encore. Tu t'es pas entendue ? « Je vends la ferme, on s'en va, je sais pas encore où, mais soyez sans crainte, dans la famille, c'est moi qui ai le contrôle. » T'as décidé de ma vie encore une fois, sans me consulter.

— T'es de mauvaise foi, Étienne. Je te fais plaisir et tu m'engueules.

— C'est toi qui es de mauvaise foi. Tu décides à ma place, devant le monde en plus, pour que je puisse pas dire non.

— Moi qui pensais te faire un gros plaisir.

— Laisse-moi un peu de jeu au bout de ma laisse.

— Oh! Si tu te sens en laisse, tu sais ce qu'il te reste à faire.

— Non, je le sais pas, je suppose que tu vas me le dire.

— Tu peux partir, c'est ça que ça veut dire.

— C'est ce que je vais faire.

— Non!

— J'ai besoin de réfléchir.

— T'as pas besoin de partir pour réfléchir. Réfléchis ici.

— Sacrament, Clara, recommence pas!

— Je m'excuse. Je te demande pardon. Je vais me corriger, tu vas voir. Puis la ferme, on peut la garder, juste la louer, au cas où tu voudrais revenir…

— Arrête de me pousser dans le dos. Laisse-moi prendre le temps de penser à nous deux, à ce que je veux qu'il nous arrive pour la fin de notre vie. J'ai besoin de prendre une pause.

— T'as pas besoin de partir pour ça.

— Mon psy pense que oui.

— C'est lui qui te contrôle, maintenant?

— Clara, c'est pour ça qu'il faut prendre une pause, nous deux. Pour pas que nos disputes dégénèrent en haine.

— T'as raison. Ça peut plus continuer comme ça. J'ai juste peur que tu reviennes pas si tu t'en vas.

— C'est mieux pour nous deux qu'on se quitte… un moment.

Étienne enfile sa veste et sort dans la nuit. Clara l'observe s'installer dans la balancelle. Elle est dévastée. Elle a peur, terriblement peur.

Elle reprend son journal qu'elle a négligé.

🖋 La terre vient de s'ouvrir sous mes pieds et je suis tombée tête première dans le gouffre. C'est la fin du monde. Notre amour, notre couple, notre relation, tout est englouti. Qu'est-ce que j'ai fait pour qu'il ait besoin d'une pause ? J'ai été moi-même, tout simplement. Je suis la même qu'il a mariée il y a cinquante-deux ans, qu'il a aimée pendant tout ce temps. Je n'ai pas changé. Lui a changé. Sa thérapie l'a transformé ; ce n'est plus l'homme que j'ai aimé. Peut-être qu'il ne me convient plus à moi non plus ? Je veux mourir. Sans lui, rien ne m'intéresse. Pourquoi a-t-il changé ? Je ne change pas, moi ! Peut-être faudrait-il que je change ? Je ne peux plus continuer d'écrire, je souffre trop.

***

Étienne a passé la nuit dans la balancelle et Clara a dormi sur le divan du salon. Plutôt mal dormir que de se retrouver ensemble dans leur lit.

Dans la cuisine, au matin, elle a le teint brouillé, il a des poches sous les yeux. Courbaturés, ils boivent leur café en silence. C'est finalement Clara qui brise la glace.

— C'est correct, tu peux partir si tu veux.

Le grand rire sonore d'Étienne éclate.

— Tu t'entends pas ?

— Je voulais te laisser libre…

— Tu voulais me contrôler encore.

— Étienne, je suis ce que je suis, si tu peux pas m'endurer, eh bien, va-t'en !

Il n'attendait que cette autorisation. Il monte l'escalier, deux marches à la fois, claque la porte de la chambre et prépare son bagage. Clara est sidérée.

« Qu'est-ce que je viens de faire encore ? Je peux pas changer du jour au lendemain ? Et puis il aimait ça que je décide de tout, ça l'empêchait de prendre des décisions, ça l'empêchait de se tromper. C'est peut-être ça, le désamour, quand les qualités deviennent des défauts ? C'est juste une menace, il partira pas, en plein dans notre grosse saison, avec tout le travail à abattre. Il peut pas me faire ça. Je vais lui parler, le raisonner. Il m'aime… »

Étienne réapparaît, une valise dans une main et un sac à dos dans l'autre.

— T'es pas sérieux ?

— J'ai vraiment besoin de réfléchir, et avec toi c'est pas possible ; tu réfléchis à ma place.

— On vendra pas la ferme si tu veux pas.

— La question est pas là.

— Tu pars pas pour… longtemps ?

— Je le sais pas.

— Mais moi, je t'aime…

— Moi aussi, je t'aime, mais…

— Mais quoi ?

— Je sais plus si je veux continuer ma vie dans les mêmes conditions…

Étienne dépose ses bagages près de la porte, il attrape son coupe-vent et prend les clefs de leur familiale. Il part, sans plus.

Clouée sur place, Clara entend la voiture démarrer et s'éloigner. Puis le silence oppressant. La tête lui tourne. Trop traumatisée pour pleurer, elle émet des cris plaintifs, comme si on lui arrachait le cœur morceau par morceau.

Sur la grande table de la salle à manger, les assiettes empilées avec les variétés de salades, défraîchies.

18

Clara termine la distribution des paniers bio à son point de chute sous les yeux de Magali qui l'attend dans sa Mercedes blanche toute neuve.

« Mon cash l'impressionne pas, ses conseils sont désintéressés, c'est toujours à mon bonheur qu'elle pense. Ma Clara, ma vraie mère. »

Clara frappe de son index dans la vitre de la voiture de luxe. Magali ouvre la portière et l'air glacé saute à la gorge de Clara.

— Ouf! L'air climatisé me fait tousser. Viens dans ma camionnette, fille.

Magali ne peut qu'obtempérer et, dans un élan fougueux, elle lui donne un baiser sonore sur les deux joues. Clara, amusée, lui rend la pareille. Des jeunes hommes sifflent au passage la jeune femme vêtue d'un short court et d'un haut échancré. Visiblement habituée, Magali hausse les épaules.

— Vous aimeriez pas un drink, un petit gâteau? Je pourrais aller les chercher.

— Non. Je peux pas rester plus de quinze minutes. J'ai trop de travail. Étienne m'a quittée...

Tout à ses problèmes, sa jeune amie n'a pas sourcillé à l'annonce de l'absence d'Étienne. Clara est quelque peu déçue de son manque d'intérêt.

« Les amoureux sont tellement égoïstes. »

Elles s'installent dans la camionnette et partagent l'eau citronnée du thermos de Clara.

— Juste une question, Clara. Pourquoi dans un couple, quand c'est l'homme qui a le plus d'argent, y a pas de problèmes, pis quand c'est la femme la plus riche, c'est compliqué ? Clara, mon héritage me cause des emmerdes avec mon chum. J'en peux plus de me chicaner avec lui à propos de mon argent !

— Parce que malgré l'émancipation des femmes il y a des vieilles idées qui s'accrochent comme… l'homme pourvoyeur. Depuis toujours, c'est l'homme qui pourvoit aux besoins de la femme. C'est long à défaire, cette idée-là. Même les femmes recherchent la plupart du temps des hommes plus fortunés qu'elles pour s'assurer que leurs enfants ont tout pour bien se développer. Un homme riche – qu'il soit vieux ou jeune –, c'est encore un trophée pour une femme. On peut pas changer une mentalité vieille de deux mille ans en cinquante ans.

— Pourquoi je pourrais pas, moi, faire vivre mon chum, s'il gagne moins que moi ?

— Parce que lui aussi croit que c'est à lui de prendre soin de sa femme. Il est victime comme toi d'idées anciennes bien inscrites dans les gènes des hommes… et des femmes depuis la nuit des temps.

Moue enfantine de Magali quand elle s'exclame :

— Il pourrait être d'accord ! Pourquoi pas ? Il pourrait accepter que je le fasse vivre. Les femmes l'acceptent bien, elles, des hommes.

Clara décide de prendre le taureau par les cornes.

— Qu'est-ce qui est le plus important pour toi : l'amour ou l'argent ?

— Je veux les deux !

— Dans la vie de couple, il y a toujours des choix à faire. Je suis mariée depuis longtemps et j'ai encore des choix à faire. Des choix déchirants...

Et pour fuir les possibles questions de Magali sur sa vie de couple, Clara tourne la clef dans le démarreur, signe que l'échange est terminé.

— Je peux toujours ben pas donner mon héritage aux pauvres pour prouver à Sam que je l'aime. C'est ridicule. Je peux vous appeler demain ?

— Je suis pas mal occupée au potager, j'ai des retards dans tout.

Magali descend du véhicule. Clara s'éloigne et fixe dans le rétroviseur la mine déçue de sa jeune amie.

19

Ce soir-là, dans l'austère résidence du père de Magali, Samuel étudie un texte classique dans le boudoir à l'étage; elle, dans le grand salon au rez-de-chaussée, s'ennuie ferme et cherche de quoi se changer les idées à la télévision. Rien d'intéressant.

C'est au beau milieu d'un vers de Racine qu'elle surgit dans le boudoir et fait carrément fi de l'air contrarié de Sam.

— Pourquoi t'acceptes pas tout simplement?

— Bon, quoi encore? Faut que j'étudie, Mag...

— Pourquoi t'acceptes pas que je te fasse vivre avec mon argent? Hein, réponds!

Il délaisse son texte et prend un moment pour réfléchir.

— Si c'était toi qui avais hérité, tu ferais quoi?

— Je te ferais vivre comme un bon mari.

— Pis moi je peux pas faire ça parce que je suis une femme?

— Écoute, Magali... Depuis que le monde est monde...

— On est au XXIe siècle, Sam! Les femmes et les hommes sont égaux!

— Oui mais...

— Les femmes et les hommes sont égaux, oui ou non?

— Oui, en principe.

— Alors pourquoi un homme peut être le pourvoyeur et pas la femme?

— Nous deux, c'est pas pareil.

— Tu me fais penser à ceux qui disent ne pas être racistes à condition que ce soit pas leurs filles qui tombent en amour avec un étranger. Penses-y, Sam! Moi, je te laisse travailler, étudier tant que tu veux.

Samuel l'attrape par un bras et l'attire sur ses genoux.

— Je t'adore.

— Pourquoi?

— Parce que avec toi je m'ennuie jamais. Moi, sur scène, je peux être éclatant, mais dans la vie je suis assez ordinaire…

— T'es pas ordinaire pantoute. Je t'envie d'avoir une passion, d'être capable de tout y sacrifier. Moi, je veux tout avoir, mais sans faire de sacrifices. Je te trouve chanceux d'avoir un but dans la vie. Moi, je sais pas ce que je veux parce que je veux trop d'affaires. Toi, tu sais tellement ce que tu veux.

— Je te veux.

— Moi aussi, je te veux, mais tu vois comment je suis. C'est comme si j'avais peur de laisser passer l'homme idéal, le prince charmant, ma véritable moitié d'orange. Je pense que l'homme qui m'est destiné m'attend quelque part, le parfait, mais où?

— T'es comme une petite fille qui croit aux fées. Les fées existent pas. Y a pas quelque part d'homme parfait pour toi. Y a moi, et c'est moi ta moitié, c'est moi ton homme idéal, ton prince charmant, ta moitié d'orange.

— Ah oui? Je te vois pas du tout comme ça. On est si différents, je suis pas certaine qu'on soit faits pour aller ensemble.

— Ben oui. On est faits pour aller ensemble. On a tout ce qu'il faut… Le reste, ça va s'arranger.

Il caresse ses seins, son ventre, ses fesses. Il sait qu'il va la faire taire en la prenant, mais elle le repousse. Elle n'a pas terminé.

— J'aimerais ça que tu sois plus comme moi, qu'on ait des choses en commun.

— Mais c'est ça qui m'excite, que tu sois différente de moi.

Il caresse son cou. Son regard brûlant ne trompe pas, il la désire. Elle se lève et recule jusqu'à l'embrasure de la porte.

— Je veux pas que tu sois riche, Sam, mais juste un peu, que tu me sortes, que tu me gâtes. Tu te demandes pourquoi les femmes aiment tant les hommes riches? Parce qu'elles admirent le pouvoir que donne l'argent. Toi, tu m'admires pas parce que je suis riche, tu m'aimerais mieux pauvre. Je pense d'ailleurs que la majorité des femmes riches cachent leur richesse et ce qu'elles gagnent parce que leur argent fait peur aux hommes. Pourquoi?

— C'est un manque d'habitude, tout simplement. Tu voudrais que les hommes s'acclimatent aux changements aussi vite que vous autres. On est plus lents. Entécas, il me reste deux ans à être pauvre, et puis après je vais me lancer dans la carrière d'acteur, et après, si tu veux, tous les deux, on aura des enfants. Et pis on va cultiver notre amour…

— Ça, ça me fait chier.

— Quoi?

— Cultiver l'amour comme si c'étaient des patates. On va faire un bout ensemble, pis si ça marche pas… Je veux pas qu'on reste ensemble par habitude comme tes parents, qui boivent pour oublier comment c'est plate, leur couple.

— Moi, Magali, si je m'engage, c'est pour la vie.

— On vit trop longtemps de nos jours pour rester ensemble toute la vie. Moi, quand ça fera plus mon affaire… goodbye.

— Ton amie Clara avec son Étienne, ils s'aiment depuis plus de cinquante ans. Il me semblait que t'avais de la grosse admiration pour eux autres.

— Ils sont pas de notre génération. Ça se compare pas. J'ai faim, je t'emmène manger des sushis sur Laurier ?

Il comprend qu'avec elle rien n'est facile, mais il l'aime pour ça aussi. C'est avec regret qu'il abandonne son texte qu'il lui faut mémoriser. Puis il décide de le prendre avec lui. Il ira étudier après le repas dans son logement qu'il habite encore avec ses colocs.

20

Samuel attend sur le trottoir pendant que Magali paie leur repas japonais avec sa carte de crédit or. Il soupire, il est fatigué et il sait qu'il doit étudier. Elle sort du restaurant et se pend à son cou.

— On est pas morts ?

— Comment ça, « on est pas morts » ?

— On a parlé de nous, pis on s'en est sortis vivants.

— J'ai pas l'habitude de brasser mes bibittes.

— L'intimité, Mag, c'est ce qui se passe dans un couple qui ose montrer ses failles.

— J'ai pas de failles. Il est bon, lui ! Des failles ! Qu'est-ce que c'est, des failles ?

— Des faiblesses, tout simplement.

— J'ai des faiblesses, moi ?

— Tu dois en avoir. On en a tous.

— Les faiblesses, faut pas les montrer, il y a toujours quelqu'un qui va en profiter pour t'avoir. C'est ce que mon père disait.

— Il a été heureux en amour, ton père ?

— Euh… T'as pas besoin de connaître mes failles pour qu'on soit intimes. On a juste à coucher ensemble. Ça, c'est intime au boutte !

Elle l'enlace, se colle tout entière contre lui.

— Faire l'amour, c'est une façon de pas se parler, des fois.

— Sais-tu, Sam, t'es trop compliqué ce soir. Il me faut quelqu'un de simple comme moi.

— T'es pas simple, mon amour !

— Ah, pis je suis fatiguée de parler, on va baiser, j'ai le goût.

— La baise, c'est juste un pansement, ça guérit rien.

Magali s'impatiente et marche vers sa Mercedes. Il la talonne.

— Qu'est-ce que tu veux, Sam ?

— Fonder une famille avec toi.

— Tu m'as.

— Je veux des enfants quand j'aurai fini mes études et que j'aurai du travail au théâtre ou à la télé.

— Puis quand ça marchera plus, nous deux, on va se séparer, et les enfants vont souffrir. Je le sais comment c'est, je l'ai vécu et c'est de la merde.

— Si tu veux pas d'enfants, vraiment pas, eh bien va falloir qu'on se quitte définitivement, parce que moi j'en veux quatre, comme on est chez nous. La différence, c'est que moi je vais les aimer, mes quatre enfants. Moi je vais les élever ! Moi je vais les respecter. Jamais je lèverai la main sur eux. Jamais !

Entre eux, un silence qui s'étire. Magali ouvre la portière de sa voiture, il la retient d'y prendre place.

— Sais-tu, Magali, tes raisons pour pas avoir d'enfants sont aussi poches que les miennes pour en avoir.

Elle éclate de rire. Ils n'ont pas fini de s'étonner l'un l'autre.

— Tu viens ?

— Je vais étudier chez moi.

— D'accord, mon amour. Tu m'appelleras demain
o.k.?

— Oui, demain...

***

Au téléphone avec Clara, Magali parle, parle...

— J'ai l'impression qu'on avance, Sam et moi. On a
été longtemps à jouer à la guerre... J'avance d'un pas, je
recule d'un pas, je tire, il tire. On se blesse; là, maintenant qu'on est certains de s'aimer, il faut commencer à
se connaître, voir nos failles, comme comprendre pourquoi moi je veux pas d'enfants tout de suite et que lui en
veut quatre plus tard. Il m'aurait dit deux, mais quatre!
C'est vrai qu'ils sont quatre chez lui. Il veut montrer à ses
parents qu'il va faire mieux qu'eux. Pis moi je veux pas
d'enfants pour pas les faire souffrir si jamais on divorce,
comme mes parents m'ont fait souffrir quand ils se sont
séparés. C'est tordu. Mais Clara, vous avez raison, ce
gars-là, je l'ai dans la peau. Disons que, dans mon cas,
l'amour passe par la peau pour arriver au cœur. Je suis
tellement bien avec lui. Quand il est pas là, il me manque.
J'avais raison, hein, de pas me marier l'an passé? On se
connaissait pas assez, pis d'ailleurs je suis plus sûre de
vouloir un grand mariage, ni même d'un mariage. Si on
restait juste ensemble, je serais prête à partir au cas où...
Oui, Clara, j'ai peur de m'engager, peur de bâtir et de
laisser tout en plan si je trouve quelqu'un de mieux. Je
sais que c'est du romantisme, mais c'est pas en remettant
cent fois la main à l'ouvrage qu'on arrive à la perfection? Je sais ce que vous allez me dire, que la perfection
n'est pas de ce monde. Mais moi je sais qu'il y a quelque
part quelqu'un qui m'attend et qui va combler tous mes

désirs, mon âme sœur. Comme la Belle au bois dormant qui a dormi cent ans pour trouver son prince charmant. Je suis une princesse, que voulez-vous! Vous allez me dire que le prince charmant existe pas. Je le sais, mais je le veux pareil. Une fille a le droit de rêver. Vous allez me dire...

— Magali! Sainte bénite! Si tu sais ce que je vais te dire, pourquoi tu m'appelles?

C'est comme si un vent glacial avait soufflé sur sa jeune amie, qui aussitôt prend sa voix de fillette qui vient de se faire chicaner par sa mère.

— Pour que vous m'écoutiez. J'ai tant besoin d'être écoutée par une femme qui me juge pas.

— O.K., continue, ma belle fille.

Et pendant trois quarts d'heure, Clara absorbe les questionnements existentiels de Magali. À la fin de la conversation, finalement, Clara n'a presque rien dit.

— C'est bizarre, hein, Clara? On dirait que tout ce qui était mêlé dans ma tête s'est éclairci juste à vous le dire. Merci. Grâce à vous, je sais davantage ce que je veux. Merci. Bonsoir.

— Bonsoir.

Seule dans son grand lit, Magali se recouche, enfouit son visage dans l'oreiller moelleux satiné en murmurant:

— Merci, maman Clara.

21

✒ Cher journal. À toi, je peux l'écrire, je m'ennuie moins d'Étienne que je le pensais. Sa voix me manque, son regard sur moi me manque, ses mains sur moi me manquent, ses mains qui connaissent mon corps et qui me font encore vibrer après tant d'années, ses mains si fortes et si douces, sa présence me manque. Quand il est parti se reposer de moi – c'est ainsi que je l'ai ressenti –, j'ai cru que ma vie s'arrêterait. Aujourd'hui, je me rends compte que même si je m'ennuie de lui je peux vivre sans lui, je me débrouille sans lui. Oui, je peux vivre seule. Il y a même des moments où c'est bon d'être seule, à ne penser qu'à moi. Je me sens libre de vivre sans lui, mais je choisis de vivre avec lui. J'aime le quotidien avec lui, celui qui est censé détruire le couple. J'aime les rituels, refaire les mêmes choses ensemble jour après jour. J'aime entendre sa voix, entendre ses silences. Il a fallu qu'il parte pour que je comprenne combien il m'est précieux, comment à sa manière il prend soin de moi. Il a fallu qu'il parte pour que je sache à quel point je tiens à lui. Mais je tiens aussi à moi et, moi, ce que je veux, c'est lui, parce que c'est lui qui fait mon bonheur.

J'ai toujours voulu qu'il m'aime comme moi je l'aime. Je sais maintenant qu'un homme n'aime pas de la même manière qu'une femme et j'accepte cette différence. Il peut m'aimer comme il le veut, pourvu qu'il m'aime. Il n'est pas là et il m'arrive de rire. Il n'est pas là et tout fonctionne… autrement. Il n'est pas là et il m'arrive d'être heureuse. Pour la première fois, je vis seule et je me sens entière, pas comme une moitié de femme en attente d'être complétée. Je ne l'aime pas moins, c'est moi que j'aime davantage, je crois. Je ne suis pas parfaite, il ne l'est pas non plus, et c'est très bien ainsi. On est deux êtres humains imparfaits qui s'aiment. Voilà.

***

Clara copie dans un fichier les lignes qu'elle vient d'écrire, elle voudrait l'envoyer par courriel à Étienne, mais il n'a pas accès à Internet. Elle imprime la page pour la lui faire parvenir par la poste, mais elle ne sait pas où il habite. Elle capitule et, désœuvrée, elle prend un bain moussant.

Elle se couche ensuite au milieu du lit double pour profiter de tout l'espace, ses deux chats viennent la rejoindre, et elle espère un coup de fil d'Étienne.

22

Il reste une semaine à Nancy pour se préparer à l'intervention. Elle a dirigé ses petits patients vers son confrère. Elle a pris un forfait chez son esthéticienne pour des soins du visage, des mains et des pieds. Même sans vernis, ses ongles doivent être impeccables pour l'opération. Son coiffeur lui a refait sa teinture et ses mèches. Ses factures sont réglées et ses courriels sont à jour. Elle s'apprête à cuisiner les plats favoris de Lulu pour les congeler et les remettre à la mère de son meilleur copain, qui va le garder. Toutes ses affaires sont en ordre, même ses lettres à sa mère et à son père, au cas où.

Nicolas a donné à son sous-chef ses responsabilités pour prendre deux semaines de congé. Depuis la confirmation de la date fatidique, ils n'ont pas beaucoup dormi.

— J'ai l'impression, Nicolas, que je contrôle plus ma vie, c'est le cancer qui la contrôle. Je vois le cancer comme un crabe qui a pris possession de moi sans m'en demander la permission et qui va faire ce qu'il va vouloir de moi. Me dévorer, me tuer.

— T'as trop vu de films de science-fiction. Dors.

— Chéri, je t'en prie, laisse-moi te parler de mon angoisse. J'ai que toi à qui en parler.

— Je m'excuse, Nancy, mais je trouve pas les mots pour te rassurer.

— Tu m'écoutes, c'est mieux que toutes les insanités que les amis me disent: «Ça va bien aller» et, du même souffle, ils me parlent de leur cousine morte du cancer du sein.

— Difficile de trouver les bonnes paroles devant la maladie des autres. Moi-même je sais pas quoi te dire autre que je t'aime et que je veux que tu vives.

— Le stress de l'inconnu, c'est terrible. Quand le chirurgien va m'ouvrir, je sais pas ce qu'il va trouver.

— Mais t'es médecin, tu devrais pouvoir faire confiance à tes pairs.

— Un médecin malade, c'est un patient, juste un patient qui a peur de la maladie comme tout le monde. J'appréhende quelque chose qui arrivera peut-être pas, mais j'ai peur pareil. Moi qui me croyais immortelle, je sais maintenant que je suis mortelle et j'ai peur. La mort me fait peur, je suis si jeune. J'ai même peur du mot «mort». Oui, moi qui ai utilisé ce mot-là dans bien des circonstances avec les parents de mes patients, j'ai peur du mot maintenant.

— Moi aussi. Je le prononce le moins possible.

— Le cancer, c'est un verdict, une condamnation, une sanction, une punition peut-être, mais de quoi? Une punition parce que je suis heureuse, parce que j'ai une bonne vie?

— Le cancer fait pas de discrimination. Il frappe où il veut. C'est une maladie qui a rien à voir avec la morale, c'est pas une punition, ni une vengeance. Ça arrive.

«Shit que c'est dur de trouver les bons mots.»

Nancy allume la lampe de chevet et baisse le haut de sa chemisette de nuit.

— Nicolas, regarde mes seins.

— Tu te fais du mal pour rien.

— Touche-les, prends-les dans tes mains une dernière fois.

Et Nicolas obéit. C'est la première fois qu'il ne prend aucun plaisir à lui caresser les seins.

23

Nancy se regarde dans le miroir de sa chambre. Elle presse ses seins, les aplatit.

— Ouache! C'est vraiment laid!

Libérant son sein droit, elle fixe son torse qui sera bientôt amputé. Puis elle laisse sa poitrine rebondir.

Elle interpelle Nicolas, qui est dans la salle de bain.

— Je veux une photo de mes seins! Avant!

— Non! Nancy!

— S'il te plaît. C'est pour toi, pour t'en souvenir.

— Non. J'sais pas pourquoi je te dis non, mais je sens que c'est pas une bonne chose.

— C'est pour moi. Pour me rappeler qu'un jour j'ai été belle.

— Tu seras toujours belle, avec ou sans seins.

— Je te crois pas. T'es même plus capable de les caresser.

Il ne sait pas quoi répondre, car elle a raison, il ne peut pas toucher là où un cancer se développe.

Nicolas sort de la salle de bain.

— Prends-la, ta photo, si tu veux te faire souffrir.

Nancy abdique. Il doit avoir raison. Elle s'assoit sur le bord du lit, prostrée. Il revient vers elle, penaud.

— J'essaie de me mettre à ta place. Ça doit être terrible. Je sais pas ce que je ferais à ta place. Je capoterais.

— Je capote aussi. Les seins, pour une femme, c'est primordial. Pas de seins, t'es une petite fille. Je me souviens comme si c'était hier du moment où j'ai réalisé que mes seins grossissaient. Je me suis sentie devenir une femme comme un bourgeon devient peu à peu une fleur. J'ai exigé tout de suite un soutien-gorge pour les mettre en valeur et les protéger. À l'adolescence, j'ai appris dans les yeux des garçons que les seins étaient une valeur ajoutée quand on veut les séduire. Quand tu m'as donné un premier french, t'as caressé mes seins en même temps. T'es tombé dans les pommes raide. Mes seins t'excitent depuis notre rencontre. Ils font partie de nos préliminaires. Mes seins sont reliés directement à mon clitoris. Je pourrai pas jouir sans eux.

« Négocier avec le chirurgien-onco. Lui demander s'il pourrait pas garder mes seins. Le supplier de les garder. Enlever tout ce qu'il veut, mais pas mes seins. Non, je peux pas faire passer mon plaisir, notre plaisir avant ma santé. »

— Au moins, il va t'en rester un.

— Ben oui, on t'ampute d'un bras… Au moins, il va t'en rester un ! C'est niaiseux, ce que tu dis là. Ça paraît que c'est pas toi qui te fais charcuter !

— Je m'excuse, je disais ça…

Elle a honte d'être si injuste.

— Non, non, excuse-toi pas, c'est moi qui suis à pic.

— Je sais que c'est difficile pour toi, l'idée de l'ablation…

— … amputation !

— … d'un sein, je comprends…

— Tu peux pas comprendre, c'est pas toi qui as le cancer, qui vas te faire charcuter! Qui vas être infirme!

— Infirme, c'est un grand mot.

— Une femme qui se fait amputer un bras, ou une jambe, ou un sein, c'est une infirme.

— Si c'était possible, je l'aurais à ta place, ton cancer.

— T'es pas à ma place! Pardon, Nicolas. C'est la peur… J'ai tellement peur.

— Je sais plus quoi te dire, tu prends tout de travers, mon amour. Même Lulu se tait de peur d'être rabroué. Il a quasiment hâte d'aller chez son ami pour se faire garder.

— Pardon, oh, pardon. Je vais pas vous empoisonner la vie parce que j'ai peur de mourir.

— Je te jure que tu vas pas mourir.

— Le cancer et la mort, c'est relié! Tout ce que t'entends, c'est: «Il est mort du cancer, elle est morte du cancer.» Je veux pas mourir!

— Moi, je veux pas te perdre.

— Toi, tu vas faire comme tous les hommes qui perdent leurs femmes, tu vas te rematcher tout de suite. Un homme, sa femme a pas le pied dans la tombe qu'il lui cherche déjà une remplaçante. Pardon, c'est comme si, parce que le cancer attaque mon corps, je dois attaquer ceux que j'aime.

— Moi, tu peux m'attaquer, mais Lulu?

— Il a une vieille âme, notre Lulu. Sais-tu ce qu'il m'a dit hier en revenant de sa partie de soccer?

— Non.

— «Maman, t'es comme moi quand je suis arrivé avec vous autres. J'étais bête parce que j'avais peur.»

— Tu vois, t'as une autre bonne raison de guérir: redevenir fine. J'ai parlé à ton chirurgien-oncologue. Il m'a dit que tes réactions sont normales. C'est le stress provoqué par le diagnostic, puis par l'attente de l'opération, puis la peur de…

Nicolas n'a pas le temps de terminer sa phrase que Lulu sort de sa chambre pour entrer en coup de vent dans la salle de bain.

— J'ai envie…

Nancy l'interpelle :

— Oublie pas de te laver les mains après.

On entend le robinet couler et il réapparaît, surpris de l'air sérieux de ses parents. Nancy lui fait signe d'approcher.

— Je me fais opérer après-demain. Tu le sais, hein ? On va m'enlever un sein, peut-être les deux.

— Mais tu vas pas mourir ?

Dans ses yeux, il y a la peur d'être abandonné par une femme, encore.

— Jamais je t'abandonnerai. Jamais. Je te le promets.

L'enfant scrute son visage. Il décide de la croire.

— O.ᴋ. d'abord. Je peux aller regarder la télé ?

— Oui. As-tu commencé à préparer ton bagage pour la semaine ?

— Oui, ma valise est faite.

Elle l'embrasse sur le front. Et il sort complètement rassuré.

— Tu lui as promis.

— Je lui ai promis.

Ils se prennent la main, ils se sourient du mieux qu'ils peuvent. Elle le sent avec elle.

24

Au réveil, Nancy a les idées nébuleuses et demande dès qu'elle voit Nicolas :

— Regarde.

— Quoi, mon amour ?

— S'il a tout enlevé.

Il soulève doucement la couverture et ne voit qu'un gros pansement autour de son torse. Elle guette son regard.

— Va falloir attendre le chirurgien, mon amour, je vois rien.

— Va le chercher, je veux savoir tout de suite !

— Calme-toi, on m'a dit qu'il était encore en salle d'opération.

Elle ferme ses yeux, elle flotte sous les effets de l'anesthésie.

Nicolas sort de la chambre et croise une infirmière. Il lui demande si elle sait l'heure de la visite du chirurgien.

— Il opère toujours, monsieur. D'ici deux heures probablement.

Si débrouillard quand il s'agit de son restaurant, Nicolas tourne en rond dans ce milieu qui lui est inconnu.

✷✷✷

— J'ai enlevé le sein en santé pour prévenir une récidive. Avec votre autorisation, d'ailleurs, madame.

Ces derniers mots font sursauter Nicolas.

— Hé! Elle vous a jamais demandé de lui enlever les deux seins. Je peux en témoigner, j'ai toujours accompagné Nancy à votre bureau.

— Juste avant de se faire anesthésier, votre femme m'a autorisé à enlever l'autre sein, par prévention. Et après analyse des ganglions, c'était préférable.

— Nancy, dis quelque chose. Pourquoi les deux?

— Je veux vivre, j'ai promis à Lulu de vivre.

Nicolas est totalement démonté.

— Sage décision. Elle n'aura pas besoin de radiothérapie. Excusez-moi, mais je dois voir trois autres patientes que j'ai opérées aujourd'hui.

Seule avec Nicolas, Nancy lui tend la main. Il la prend mollement, lui sourit de son petit sourire forcé qu'elle connaît bien.

***

Seul et malheureux, Nicolas se pointe à son restaurant pour vérifier si ça roule bien... sans lui. Dans son for intérieur, le trouver vide lui aurait plu; une bonne colère lui ferait du bien. Mais son établissement est rempli au maximum. Un de ses clients habituels l'aborde.

— Belle réussite avec votre nouveau chef, ses ris de veau sont super. Félicitations!

Nicolas acquiesce en souriant faussement et part sans aller faire un saut aux cuisines.

«Mon second est devenu premier, maintenant!»

Il erre sans but dans la rue bordée de terrasses animées.

« Ça va bien ! Ma femme a plus de seins et moi je suis moins bon que mon sous-chef. Je devrais me soûler pour oublier le tsunami qui bouleverse ma vie. »

Il continue de déambuler jusqu'au parc, où il s'effondre sur un banc.

« Je suis rien qu'un égoïste, un sans-cœur, je pense juste à moi, moi qui ai tous mes morceaux alors que Nancy est amputée de ses deux seins, de ses deux seins… ses deux seins… Je suis ridicule de tant m'en faire pour des seins. Et puis dans le fond, un sein ou pas de seins, c'est quoi la différence au juste ? »

Il observe un joggeur et son chien en laisse, qui passent devant lui. Il soupire.

« Non, je vais pas me raconter d'histoires : je suis un vrai homme, et les vrais hommes aiment les seins, c'est tout. Puis je me sens pas coupable de les aimer ; c'est dans ma nature. Depuis que je suis sevré que je les regarde avec appétit. Ce qui m'a excité en premier chez Nancy, ce sont ses seins, haut placés, rebondissants, des boules de chaleur et de plaisir. Et ses mamelons comme des petits pénis qui bandent à rien : un coup de vent, un vêtement rêche ou trop soyeux, ou un frôlement de ma main. Juste à y penser… je bande. C'est fini, tout ça. »

Un gros nœud fait de ressentiment et de tristesse le saisit à la gorge, il ravale avec difficulté.

« Je vais pas pleurer sur moi alors que mon amour a perdu une partie importante de son corps. Je suis cheap. Je devrais être capable de penser que les seins, c'est pas important, que seule sa santé compte. C'est ça que je vais lui dire, que je vais lui répéter. Mais j'ai le droit de pleurer ma perte. Parce que l'ablation des seins, c'est une perte pour le conjoint aussi. Personne en parle, du mari de l'amputée, il souffre lui aussi. Est-ce que je vais la désirer sans ses seins ? Oui, je le veux ! Mais le désir se fout bien de la volonté. J'ai peur pour notre couple. »

Cette nuit-là, Nicolas rêve éveillé à des seins de toutes les formes, une mer de seins dans laquelle il flotte avec délices.

25

Lulu les attendait, fébrile, sur le pas de la porte. Nicolas aide Nancy à sortir de la voiture. Elle est faible, elle a perdu du poids. Elle a un petit sourire pour son fils, qui s'avance vers elle. Elle l'enlace doucement et il l'embrasse maladroitement comme si elle était en papier de soie. La famille entre dans la maison.

— Allonge-toi sur le canapé pendant que je termine la salade de homard, j'ai aussi un potage orge et carottes. T'aimes ça.

— Je veux pas manger, je veux profiter de vous deux.

Debout devant elle, Lulu a une main dans le dos. Nicolas lui fait signe que c'est le bon moment.

— Maman?

— Oui, mon chéri.

Il lui tend une tablette de chocolat.

— Non merci.

— Ah non? C'est une Oh Henry!, ta sorte.

— Je sais, mais j'ai pas faim. Merci, mon trésor.

— Je l'ai payée avec mon argent de poche. Je voulais t'acheter une grosse boîte de chocolats, mais papa m'a dit que chacun donnait des cadeaux selon ses moyens.

Nancy prend conscience de sa maladresse: c'est un cadeau qui vient du cœur.

— Ça me touche beaucoup. Merci. On la mangera ensemble plus tard.

Nicolas revient de la cuisine avec un énorme bouquet de fleurs des champs dans un vase de cristal.

— Oh, les belles fleurs ! Merci, mon amour.

— Je suis content que tu sois revenue. La maison sans toi…

— Moi aussi, je suis contente. J'avais hâte de rentrer. Je vais suivre le conseil de l'infirmière et faire un petit somme.

— Moi et papa, on va s'occuper du repas.

— Et je vais vous entendre jaser d'ici. Merci, mes amours. On mangeait tellement plate à l'hôpital.

— Viens, Lulu.

Le père et le fils quittent la pièce. Nancy ferme les yeux en soupirant, elle s'abandonne à son désarroi.

« Jamais je montrerai ma poitrine. À personne. Quand l'infirmière a changé mon pansement, j'ai pas pu regarder. Demain, quand elle va venir, il faut que j'en aie le courage ! »

***

L'infirmière enlève le vieux pansement, vérifie les drains, nettoie les cicatrices, s'apprête à refaire le pansement.

— Je veux me regarder dans le miroir. Je veux voir !

— C'est pas joli en ce moment. Vous pourriez attendre un peu.

D'un pas résolu, Nancy se plante devant le grand miroir, ouvre lentement son peignoir. L'horreur ! On dirait le torse d'un homme lacéré au couteau, il y a des balafres sanguinolentes. Et ces drains qui pendent des cicatrices rougies. Elle referme vite les pans de son peignoir, serre trop fort la ceinture. Elle ne pleure pas. Elle est en colère.

— J'accepte pas ça ! Pas une femme peut accepter ça !

Elle a crié si fort que Nicolas et Lulu accourent. À l'air catastrophé de l'infirmière, Nicolas devine ce qui vient de se passer. Il s'approche de Nancy, lui touche l'épaule. Elle s'en détourne.

— J'ai l'air d'un monstre ! Touche-moi pas.

— Calme-toi ! Lulu, prépare-toi pour ton soccer. Je vais demander à la maman de Marco de te prendre en passant, o.k. ?

Lulu, qui déteste les cris, les disputes – il en a tant entendu –, détale sans dire bonjour.

— Va-t'en, laisse-moi, trouve-toi une femme qui a tous ses morceaux ! Moi, je suis pourrie. Qu'est-ce qu'on fait quand quelque chose est pourri ? On le jette aux vidanges. Jette-moi aux vidanges !

Les yeux baissés, l'infirmière prépare le nouveau pansement. Elle comprend, elle a l'habitude. Nicolas ne sait pas quoi dire. Ce qui semble décupler la colère blanche de sa femme.

— Dis-le que je t'écœure ! Dis-le donc !

— Je peux pas me prononcer, j'ai pas vu.

Alors dans un grand geste qui pourrait être ridicule s'il n'était pas si pathétique, Nancy défait sa ceinture et ouvre son peignoir à nouveau. Nicolas regarde et tente de rester calme. D'une voix douce, il énonce la phrase qui va atténuer la colère de sa femme.

— T'as pas de seins, mais t'es vivante et, pour moi, c'est ce qui compte.

L'infirmière approuve silencieusement. Nancy regrette son agressivité.

— Pardonne-moi. C'est tellement difficile, tellement difficile à accepter.

— Ça doit être en effet très difficile à accepter.

Nancy est rassurée. Sa détresse a été reconnue et non refoulée par des encouragements traditionnels. Sa détresse a été accueillie. Elle s'assoit sur le bord du lit et l'infirmière refait son pansement avec dextérité et gentillesse.

Une fois qu'ils sont seuls, Nicolas enlace sa femme. Un grand moment de tendresse entre eux.

— J'ai honte.

— T'as le droit d'être en colère.

— Nicolas?

— Quoi, mon amour?

— Vas-tu m'aimer pareil? Vas-tu m'aimer sans mes seins?

Nicolas, qui ne sait pas comment sa libido va réagir, choisit de mentir.

— Pour qui tu me prends? Penses-tu vraiment que je t'aime juste pour tes boules?

— Pas juste pour ça, mais ça compte quand même.

— Je t'aimerais sans bras, sans jambes. C'est ton âme que j'aime.

Elle a un petit rire rempli de doute.

— Je te crois pas, mais ça me fait du bien d'entendre ça. Merci.

26

Étienne boit une bière au bar-resto situé à proximité de la salle de réunion de son groupe. Une bière à onze heures le matin, c'est inhabituel, mais il est agité. Vivre en ville est difficile, l'alcool va le calmer. Perdu dans ses pensées moroses, il observe la faune du centre-ville.

« Est-ce que ce gars-là avec son portable collé à l'oreille et qui marche vite sait qui il est vraiment ? Est-ce que cette vieille-là, toute croche, courbée sous le poids des années, est heureuse ? Ou a-t-elle abandonné sa quête du bonheur ? Et cette belle fille qui court presque, perchée sur ses échasses… sait-elle vers quoi elle court ? Est-ce que je suis le seul à pas savoir quoi faire de ma vie ? »

— Ah ben, Étienne ! Qu'est-ce que tu fais ici de si bonne heure ?

Alain, un membre du groupe, est là devant lui, les bras encombrés de deux sacs d'épicerie.

— Salut, Alain. C'est pas le jour de notre séance ?

— C'est mardi, on est vendredi. Je faisais mon marché…

— Ah… T'habites pas loin ?

— Juste à côté.

— Ah…

Alain dépose ses sacs sur une chaise et s'assoit face à Étienne. Il devine rapidement son état d'esprit.

— Qu'est-ce qui va pas ? Je peux t'aider ?

— Non, non. Tout va bien.

— Come on.

— Pas ici. Sinon je vais brailler, et brailler devant le monde… non merci.

— Ben là, t'as pas voulu venir coucher chez moi l'autre soir de peur que je te saute dessus. Le midi, ça devrait pas te faire peur.

— C'est pas ça, j'ai pas peur, voyons donc ! J'ai loué une chambre près du terminus.

— Viens chez moi avant que ma crème glacée dégèle.

« J'ai juste à dire non. J'ai juste à partir si jamais… »

Étienne cale le reste de sa bière et se lève en attrapant un des sacs d'épicerie d'Alain. Il est étonné des regards sur eux, des regards ricaneurs, mais aussi haineux. Alain semble habitué de l'attention qu'il provoque. Il est quelque peu efféminé, mais s'assume.

Son studio est petit, bien ordonné. Le coin chambre est délimité par un joli paravent aux motifs asiatiques. Il y a un sofa-lit dans le coin salon. Sur les étagères et la commode, des photos glamour en gros plan de mâles nus, des torses et des croupes musclés. Aussi une statuette du David de Michel-Ange. Gêné, Étienne, qui ne sait pas trop où poser ses yeux, propose de ranger l'épicerie. Alain ouvre grand les portes des armoires. Étienne se lance.

— Mon fils est gai.

— Ah oui ? Il tient de toi ?

— Je suis pas… ce que tu dis.

— Pourquoi t'as peur, d'abord ? Tu te vois pas, Étienne. Tu te tiens loin de moi. Tout à l'heure au resto, ta main a frôlé la mienne, tu l'as retirée comme si c'était du feu. Moi, les gars qui ont peur des gais, qui s'en moquent, qui sont, disons le mot, homophobes, je les truste pas pantoute. Ceux qui sont certains de leur hétérosexualité, ils ont pas peur qu'on les fasse changer de bord juste en leur frôlant la main. Tu deviens pas gai du jour au lendemain. Si t'as pas ça en toi, c'est pas mes avances qui vont y changer quelque chose. Mais si quelque part tu doutes… ah ben là. Avec les hétéros, je m'essaie tout le temps. Si ça marche pas, on est pas plus mauvais amis pour autant. Tu comprends… pour un gai, avoir un hétéro dans son lit, c'est une victoire. Une grosse conquête.

— J'ai pas ça en moi ! Je pense…

— La sexualité, mon pote, c'est pas toujours coupé au couteau. J'ai déjà couché avec des filles. Pour voir de quel bord j'étais. Juste pour savoir, hein ?

— Je pense que je vais y aller. J'ai des commissions à faire.

— T'as peur.

— Non, j'ai pas peur !

Étienne a crié un peu trop fort. Alain le dévisage un moment et Étienne lâche :

— Oui, j'ai peur.

— Si tu veux pas, je te touche pas, mais si tu veux… Il y a abus quand un des deux veut pas. On s'entend là-dessus. Là, on est deux adultes consentants. Si tu consens, ben entendu… Right ?

Alain s'approche et Étienne recule vite, dos au frigo.

— Ça engage à rien, une petite expérience…

Maintenant nez à nez avec Alain, Étienne tremble, des gouttes de sueur perlent sur son front, ses tempes.

Alain prend la tête d'Étienne entre ses mains, le fixe dans les yeux.

— Ça va être notre secret. C'est entre toi et moi !

La même phrase que le prêtre lui avait dite, il y a quarante ans, avant de l'abuser. Étienne l'empoigne solidement et le repousse, assez pour qu'il heurte le comptoir.

— Laisse-moi tranquille !

Puis il lui assène un coup de poing à la poitrine. Nullement batailleur, Alain veut fuir, mais Étienne lui enserre fortement un bras et le fait chuter pour ensuite le frapper de coups de pied en criant sa rage. Alain encaisse en hurlant :

— Arrête, Chose ! Arrête, tabarnak !

Ce qui ramène son assaillant à la réalité. Étienne l'aide même à se relever.

— Excuse-moi. C'est pas toi que je frappais.

— C'est moi qui recevais les coups pareil. Es-tu devenu fou ?

— C'était l'abbé que je frappais.

— Je suis pas pédophile ! Gai, mais pas pédophile ! O.K. ?

— J'ai fait ce que je rêvais de lui faire dans le temps, mais… j'étais un enfant. J'aurais dû être capable de lui dire : « Je veux pas ! Pousse-toi. Laisse-moi tranquille. » Pourquoi j'en ai pas eu le courage ?

— Parce que t'étais jeune et ignorant. Un enfant, c'est jamais le responsable dans ces cas-là.

— Je m'excuse, Alain. Je m'excuse.

— Si ça a pu te soulager, moi, c'est ben parfait. As-tu faim ?

— Tu m'invites ?

— Ben, si t'as pas peur de moi ?

— Non, j'ai plus peur de toi. Ça m'a vraiment fait du bien.

— O.ᴋ., mais recommence pas, man !

27

Clara, sans grand enthousiasme, rejoint Mathieu, déjà à l'œuvre dans le potager.

« Encore un autre jour à traîner mon iPhone au potager, en consultant trop souvent, presque de façon maladive, l'afficheur numérique ou le niveau de la batterie. Il va revenir. On a pas passé ces longues années en couple pour finir tous les deux chacun de notre bord. C'est ridicule. Ou peut-être se sent-il si bien sans moi qu'il m'a oubliée ? Ou encore il a trouvé quelqu'un ? Une autre femme ? Une qui le connaît pas sous toutes ses coutures, une qu'il épate, une qui l'admire, une qui lui fait l'amour de façon différente… meilleure. Une qui le veut à elle pour le restant de ses jours. Une plus jeune sûrement, mince et belle, et qui aime l'eau comme lui. Que ça fait mal, cette pensée d'être remplacée ! Que j'étais bien quand il était près de moi, certaine de son amour et du mien. J'avais tort de lui en demander davantage. S'il revient… »

— La madame est rendue où ?

Mathieu l'a sortie de ses pensées moroses. Elle rit un brin, s'excuse gauchement.

— Moi, ça me fait rien, mais ton cell sonne sur le banc.

— Hein? Quoi!

Elle vole vers le banc, attrape l'appareil.

— Allô!

— C'est moi.

— C'est toi? Oh, Étienne!

— Clara! Oui, c'est moi!

Elle se rend compte que Mathieu l'écoute et, d'un signe, lui demande de s'éloigner. Elle lui tourne à demi le dos, alors il reste là, amusé de la voir toute rouge, excitée comme une ado avec son premier chum.

— Comment vas-tu?

« Faut-il le supplier de revenir ou être indépendante? Qu'est-ce qui fonctionne le mieux? »

— Moi, je vais bien.

« Il n'irait pas bien s'il devait m'apprendre qu'on divorce. »

— Moi aussi, je vais bien.

Silence. Ils n'entendent que leurs respirations.

— Je voulais juste avoir de tes nouvelles.

Elle est déçue, mais décide de ne pas le lui montrer.

— Tout va bien! Moi, le potager, les clients. Il fait beau. Tout va comme sur des roulettes. On peut pas demander mieux.

— Moi aussi. Ça va très très bien. Je suis toujours l'administrateur de mon groupe d'hommes. Depuis hier, j'habite avec un gars du groupe qui a un petit bungalow à Rosemont. Ça me coûte pas cher…

Elle décide de lui faire mal, pour le punir de ne pas s'ennuyer d'elle.

— Moi, je vis toute seule, pis sais-tu, Étienne… j'aime ça. Puis Mathieu m'aide partout où tu m'aidais. Il te remplace, mais en plus fringant à l'ouvrage. Il y a deux de ses copains qui viennent aussi m'aider quelques jours par semaine. C'est parfait.

— C'est juste ça que je voulais savoir… si t'étais correcte…

— Je suis correcte.

— Moi aussi.

— Alors tout est bien.

— C'est ça ! Salut, Clara.

Étienne met fin à l'appel et elle reste figée sur place. Elle éteint finalement son portable sous le regard oblique de Mathieu, qui n'en revient pas.

— Tu t'es pas entendue, madame ? Tu te meurs qu'il revienne, pis tu joues l'indifférente.

— Mathieu, tu connais rien de rien au couple… faque…

— Moi, quand je pense quelque chose, je dis pas le contraire.

— C'est lui qui est parti, c'est à lui de faire les premiers pas.

— Il a téléphoné, c'est un premier pas.

— Au téléphone, ça compte pas. Puis je voulais pas lui mettre de pression pour revenir.

— S'il rappelle, je vais lui parler, moi.

Clara glisse son portable dans la poche de son tablier en vinyle et retourne dans la rangée où elle redressait les tuteurs des plants de tomates. Après un moment, elle dit :

— T'as raison. C'est niaiseux ce que j'ai fait.

— J'ai pas dit ça, mais c'est vrai, c'est niaiseux.

— Tu ferais quoi à ma place ?

— Je lui dirais la vérité, que tu veux qu'il revienne, que tu l'aimes.

— Et s'il me dit qu'il veut pas revenir, qu'il m'aime plus?

— Eh ben, au moins, tu le sauras.

«Voilà que je demande conseil à un jeune homme qui a même pas vingt ans! Faut que je sois rendue bas.»

Puis la sonnerie «clochettes cristallines» de son portable résonne. Elle le sort à toute vitesse de sa poche, en faisant un clin d'œil complice à Mathieu.

— Allô! Reviens, s'il te plaît. J'aime pas ça vivre sans toi… Hein? Claude? Ah, excuse-moi! Je pensais que c'était…

28

Mireille a fermé son salon de coiffure deux semaines pour ses vacances estivales. L'hiver dernier, elle avait projeté un voyage à Atlantic City, mais avec le bébé de sa fille, c'est devenu impossible.

« Pas question d'emmener un bébé en vacances ; ce sera pas des vacances. Pis on a pas les moyens. Un seul salaire, on va pas loin avec ça. »

Le bébé, qui n'a pas encore de nom et qu'elle appelle souvent Ti-Pit, lui fait une mimique de toutes ses gencives. Il adore prendre son bain dans l'évier de la cuisine.

— Pauvre Ti-Pit, pas de mère, pas de père, juste une grand-maman en vacances, pis un grand-papa qui se cherche une job.

« Qu'est-ce que j'ai fait au bon Dieu pour avoir une fille tout le contraire de moi ? Elle part au Mexique, pis pas de nouvelles, rien. Elle a même pas téléphoné pour prendre des nouvelles de son enfant. Une vraie sans-cœur ! Si au moins j'avais son adresse… »

Elle sort le bébé de l'évier et le dépose sur une serviette molletonnée pour le sécher. Il agite tous ses membres. Elle lui parle en le huilant, puis lui faire faire de petits exercices.

— T'es content, hein, mon Ti-Pit. On va mettre ton pyj et tu vas faire un beau dodo jusqu'à demain matin. Oui, oui, oui, t'es un ange, mais ça durera pas, toi aussi tu vas faire suer tes parents un jour. Déjà que tu les fais suer en existant. Qu'est-ce que je vais faire de toi s'ils viennent pas te chercher? Je serai pas en vacances éternellement... Je veux-tu qu'ils viennent te chercher dans le fond de mon fond? Il faut ben que je retourne travailler, je peux pas te garder. Petit vlimeux, tu m'as jeté un sort...

Une fois qu'elle l'a habillé de son pyjama de coton, elle le prend dans ses bras, l'embrasse sur les deux joues.

— Je t'aime comme une folle, astheure.

« L'enfant de ma fille est aussi à moi. Ma fille vient de mon ventre, elle a accouché d'un enfant, c'est comme un fil qui nous lie de ventre à ventre. Ça doit être pour ça que je l'aime tant. »

— T'es beau comme une crotte. Belle petite crotte d'amour !

Robert l'observait depuis un moment de la porte de la cuisine. Il aime ce qu'il voit.

— T'as l'air d'avoir du fun avec lui !

— Tant qu'à faire.

— Il y a pas un mois, tu chicanais après lui.

— Pas après lui, pauvre petit innocent, après ta fille et son affreux chum. Durant toute la grossesse, on le voit pas pantoute. Elle accouche, il ressoud. Elle l'aimait pas, pis elle part avec lui au diable vauvert. C'est n'importe quoi. Je te dis, les jeunes, de nos jours, ils ont pas de bon sens. Veux-tu préparer le biberon? J'en ai fait d'avance. Ils sont au frigo.

Robert s'exécute, il place la bouteille dans le chauffe-biberon.

— Pas tous les jeunes, Mimi, Jonathan m'a dit qu'il allait reprendre ses cours.

— On verra ben ce qu'il fera. S'il est égoïste, c'est de ta faute, Bob.

— Recommence pas à dire tes niaiseries.

— Ta fille, c'était de l'or en barre. On pouvait pas y toucher un cheveu que tu hurlais. Elle était parfaite. Miss Parfaite ! Là, elle devient enceinte, puis tu changes ton capot de bord, c'est ton fils maintenant qui est un saint, qui est parfait.

— C'est toi qui as pas d'allure ! Tu radotes toujours la même chose.

Mireille le fusille de ses yeux devenus noirs de colère. Elle prend une bonne respiration et adopte un autre ton.

— Non, on va pas se chicaner devant Ti-Pit. Nos enfants ont été élevés aux sons de la chicane. Pas lui !

Elle s'attend à une réplique cinglante, mais il se contente d'un :

— Je dirai plus un caltor de mot.

Le dring du chauffe-biberon retentit. Robert prend la bouteille, vérifie la chaleur du lait sur son poignet et le tend à sa femme, qui s'est assise dans la berceuse. Le bébé boit goulûment. Mireille le regarde avec tendresse.

— Mes maudits parents étaient jamais jamais d'accord. Quand on s'est mariés, je me suis juré de pas faire pareil, pis tu vois, je suis tombée direct dans le panneau. On dirait que je peux pas communiquer avec toi sans grimper dans les rideaux. T'es pareil, le feu te prend dès que j'ouvre la bouche.

— Je vais fermer ma gueule, je te dis.

— Je veux pas que tu te taises, je veux qu'on prenne un break, nous deux, qu'on arrête de se contredire, qu'on prenne ça cool. Pour le petit! Je veux pas qu'il passe ses premières années dans le picossage.

Robert s'approche du bébé qui lui semble si fragile, si démuni devant la vie.

— J'ai aussi été élevé dans la chicane… j'ai haï ça autant que toi. Moi aussi, je m'étais juré que je serais plus intelligent que mes parents. C'est le seul héritage qu'ils m'ont laissé: l'esprit de contradiction.

— Veux-tu, on va essayer de s'entendre? Veux-tu?

— Je demande que ça. C'est pour ça que je dis que je parlerai plus, comme ça tu vas chicaner toute seule.

— Tu vois comment t'es!

— Tu vois comment t'es, toi!

Le bébé arrête de boire, il geint et – est-ce une illusion? – il semble les fixer. Ils ont honte.

29

C'est une soirée divine. Sur leur patio, dans des chaises longues, Mireille et Robert admirent le ciel clair et étoilé. Ils sont bien ainsi, à se retrouver chacun dans ses pensées. Sur la table, le moniteur du bébé.

— Bob, on est bien, hein, quand on se parle pas?

— On est super bien.

— Ti-Pit est parti pour faire sa nuit. Je devrais aller voir.

— Il dort. Tu sais ce que je pense?

— Non.

— Les vieux couples comme nous autres se servent de leur conjoint comme exutoire.

— Où t'as appris ce mot-là? Exuquoi?

— Sur Internet, dans «couple», j'ai trouvé le blogue d'un psy qui a écrit qu'on se sert de l'être aimé comme exutoire. Comme punching bag. À ton salon, tu peux pas engueuler tes clientes. Ça fait que c'est sur moi que tu te défoules, c'est moi ton exutoire, ton punching bag.

— Puis toi, hein? Depuis que t'as pas de travail, t'es pas du monde. Tu fais pas juste te défouler sur moi, tu varges sur moi.

— On a au moins ça en commun. Je suis ton exutoire, t'es mon exutoire.

— C'est pas très bon, ça.

— C'est certain, Mimi, que c'est pas bon.

Ils plongent un moment dans leurs pensées respectives.

— Bob, la prochaine fois que tu te décharges sur moi parce que tu trouves pas de travail, tu vas le savoir sur un temps rare.

— Pis la chicane va recommencer, mais c'est toi qui auras commencé.

— C'est-tu important, Bob, qui a commencé?

— Ça a ben l'air. Rendus à nos âges, on devrait s'en sacrer comme de notre première dent.

— De toute façon, Bob, j'ai toujours raison.

Robert a failli tomber en bas de sa chaise d'indignation. Puis, à voir l'air malicieux de sa femme, il saisit qu'elle blaguait. Il rit.

— T'as raison, mon mari, c'est ridicule de se chicaner quand on pourrait vivre dans l'harmonie… la plupart du temps.

— La plupart du temps?

— C'est pas mauvais en soi, la chicane, si c'est pour régler un problème entre nous, remettre nos pendules à l'heure, mais quand c'est chialer pour chialer…

— Dis-toi que ça fait des rides.

— Dis-toi que c'est mauvais pour ta libido.

— Libido?

— T'es pas tout seul à chercher sur Internet la signification des mots. Moi, c'est pas dans « couple et chicane » que je cherche, c'est dans « couple et sexe ». Libido et sexe, c'est pareil. La libido, c'est le désir de sexe, comme…

Un lourd silence les enveloppe, que Robert rompt.

— T'as trouvé quoi dans « couple et sexe »?

— Que le sexe, ça se compare à un feu. Si on entretient pas le feu, la flamme s'éteint, pis les braises, pis toutte. Et ce feu-là s'entretient à deux. Si tu mets pas, toi aussi, une petite branche ici et là, le feu s'éteint tout doucement. Un matin, on se réveille, il fait frette. Le feu est éteint. Moi, j'ai essayé de l'entretenir, mais juste moi qui mets une branche, il s'éteint vite, tandis que si tu mettais ta petite branche…

Elle s'aperçoit que sa comparaison devient glissante. Il fait semblant de ne pas comprendre l'allusion.

— T'as pris pour acquis que le feu, une fois allumé, durait toujours, que t'avais plus à t'en préoccuper. C'est ça qui arrive avec toi, Bob.

— Je me suis trompé.

— Hé ! C'est une première. Jamais au grand jamais avant t'as admis t'être trompé. Jamais !

— T'as raison.

— Répète. Est-ce que j'ai bien entendu ? Moi, j'ai raison ?

— T'as raison, Mimi.

— C'est ben la première fois que tu me dis que j'ai raison.

— T'as raison. T'as raison.

— Arrête, c'est fatigant, ça.

— T'as raison.

— Mon pitou, qu'est-ce que t'en penses ? Le feu ?

— Bonne comparaison.

Il se tait. Il ne veut pas s'avancer sur le terrain miné du sexe.

— Bob ?

— Quoi ! Qu'est-ce que j'ai fait encore ?

— J'haïs ça quand tu me réponds ça, au lieu de me répondre pour vrai.

— Qu'est-ce que tu veux me reprocher encore ? Que j'entretiens pas le feu à ton goût ? J'ai d'autres choses à penser qu'aux folleries. J'ai perdu ma job, notre fils a évité la prison de justesse, notre fille est partie au Mexique, nous a laissé le petit, elle donne pas de ses nouvelles, pis, caltor, tu voudrais que je pense à repartir le feu ? On est pas bien comme on est, là ? Qu'est-ce que tu veux de plus ?

— Qu'on fasse l'amour.

Elle l'a suggéré doucement, sans agressivité. Il se lève. Elle sait qu'il ne faut pas lui parler de sa panne de désir parce que ça le ramène à la situation la plus humiliante pour un homme : un pénis qui reste flasque. Il décide d'attaquer avant qu'elle attaque.

— C'est pas de ma faute si j'ai plus vingt ans ! Trouve-toi-z'en un qui bande si t'es pas satisfaite !

Mireille choisit de répliquer avec douceur, tout bas.

— Je veux pas baiser, je veux faire l'amour avec toi. Je veux même pas que tu me pénètres, juste qu'on se caresse.

— Je te connais, tu fais l'amour comme tu manges, il te faut toujours une grosse portion, pis une autre. Il y a pas de fin. Tu vas vouloir plus, et je pourrai pas plus, pis on va être tous les deux en beau maudit, toi parce que je t'ai pas satisfaite, moi parce que j'ai la preuve sous le nez de mon impuissance.

— En as-tu parlé au docteur ?

— Elle m'a fait passer des tests d'hormones, ma testostérone était un peu basse, je prends des suppléments, mais ça a rien changé.

— Ta sexologue ?

— Une maudite folle. Elle m'a sorti ça, elle aussi, le feu à entretenir. J'ai plus de branches à mettre dans le feu… Puis même si j'avais une énorme branche, avec tout ce que les femmes exigent astheure… La maudite porno avec des gars emmanchés comme c'est pas possible.

— C'est de la faute des femmes si tu bandes mou.

— Ben…

— Ben quoi?

Elle en est à murmurer, il l'imite.

— Quand on s'est mariés, je savais qui j'étais : un fusil à trois coups, toujours prêt à tuer. Et pis tu t'es mise à vouloir que je sois doux, que je t'aide avec le ménage, que je sois caressant. Moi, je me voyais comme un cowboy qui enlève une fille, qui lui retrousse la jupe parce qu'elle a une jupe à retrousser, froufroutante, pas de maudits collants ou des jeans serrés…

— Si c'est ça ton fantasme…

— Je dis pas que c'est la cause de ma panne, je dis juste que doux et solide, fort et faible, macho et féminin, c'est une position pas ultraconfortable pour un gars qui est né au temps où les gars étaient des vrais gars.

— T'as raison, ça doit pas être confortable.

Il la regarde, étonné de son attitude positive.

— Pauvres hommes!

— Ben, y a autre chose dans la vie que le sexe…

— La tendresse… Tu connais la chanson de Ginette Reno.

Elle chantonne :

— *Fais-moi la tendresse…*

Il est gêné comme si « tendresse » était un mot obscène.

— Ti-Pit dort encore. J'ai l'impression qu'il va sauter un boire. On va se coucher, mon pitou?

— O.k., mon minou!

— J'aime ça quand on se parle de même, mon pitou.

— Tu vois ben que je suis capable de rester calme, mon minou.

Elle se retient de répliquer que c'est son ton à elle qui l'a forcé à rester calme. Le couple va s'endormir, tous deux collés en cuillère.

30

Il fait une chaleur étouffante. Clara consulte sa montre : presque midi. Elle regarde son engagé, Mathieu, en short de jeans effiloché et casquette à l'envers, torse nu. Elle est épuisée et, chaque matin, elle se réveille triste à mourir.

— Mathieu, apporte ton lunch, on va aller manger au frais dans la maison. Il doit ben faire quatre-vingts. Ça fait combien en Celsius ?

— À peu près vingt-sept ! La madame est encore en Fahrenheit…

Il lui lance un sourire gentil, mais un brin ironique. Elle est vexée de se faire mettre sur le nez leur différence de génération. Elle délaisse sa bêche, enlève ses gants de travail et se dirige vers la maison. Il la suit en silence, le sac thermos de son lunch en main. Clara redresse le dos.

« Faut pas qu'il voie que je suis fatiguée en plus. »

Elle lui ouvre la porte arrière menant directement à sa cachette d'écriture, puis à la cuisine.

— Il fait toujours frais dans la cuisine grâce aux peupliers. Ça va nous faire du bien. Assis-toi. Je t'offre quelque chose à boire ?

— As-tu de la bière ?

— Non.

— Je vais prendre de l'eau.

— La champlure est là. T'es assez grand pour te servir tout seul.

— Champlure ?

— Hé ! Ça va faire, de me traiter en petite vieille !

— Je t'ai pas traitée de rien, j'oserais pas… vu ton âge.

Clara se détend, lui sourit.

— J'en prendrais, moi aussi, une bonne bière. Va dans le caveau, il y en a. Une pour nous deux. Il nous reste pas mal de travail.

— Ah, come on, madame. Sois pas cheap.

— Bon, o.k., deux, mais ce sera pas tous les jours fête.

Mathieu descend à la cave pendant que Clara prend ses messages dans sa boîte vocale, puis elle consulte ses textos sur son cellulaire. Rien d'Étienne. Elle le maudit en bougonnant. À son jeune employé qui revient avec les bières, elle propose :

— J'ai un restant de poulet. Avec des chips ? Tu garderas ton sandwich pour ta collation.

— Du St-Hubert ?

— Non, du poulet Clara. T'enlèves ta casquette à table.

Il obéit et Clara sert vite fait le repas en y ajoutant une salade de quinoa de la veille. Ils ont faim et mangent de bon appétit. Ils en viennent à entrechoquer leurs verres de bière :

— Santé !

— Santé, Mathieu !

Clara sourit à ce beau grand garçon bronzé. Sans lui et ses deux amis, elle ne serait pas arrivée à continuer le commerce. Son air désinvolte, ses sourires timides lui plaisent. Sa solitude est moins cuisante, du moins quand il est là.

— Quel âge t'as, madame?

— Euh… Soixante-treize.

— T'es ben vieille!

— Je sais.

— Hé! Moi, quand je vais avoir ton âge, je vais pas me brûler le dos sur des légumes.

— Qu'est-ce que tu vas faire?

— Je vais plus travailler pantoute, je veux dire par là que je vais faire que ce que j'aime.

— Et si c'est faire pousser des légumes que t'aimes?

Il la regarde avec pitié.

— Votre génération, c'est le travail, la compétition, l'ambition. Dépasser vos parents. Réussir. Se placer les pieds. Pour vous autres, la réussite sociale, ça passe avant les enfants, avant la famille. Les pères étaient absents, ils travaillaient trop, la mère s'occupait de trop d'enfants. Qu'est-ce que ça a donné? Des dépressions, des burn-out, puis des enfants qui ont pas connu leurs parents. J'en vois de ton âge dans la rue, ils ont l'air de s'ennuyer au boutte. Moi, je veux du fun dans ma vie. C'est tout ce que je veux. Une job le fun, une blonde le fun, des enfants le fun, des chums le fun…

— Je te le souhaite.

— Je dis des conneries?

— Non, non. J'en connais d'autres comme toi qui cherchent le bonheur sans faire d'effort.

— Si j'étais à ta place, y a longtemps que je l'attendrais plus, ton monsieur.

— Moi, je l'attends.

— Le mariage, c'est pas fait pour durer. C'était bon quand on mourait jeune, mais là qu'on vit vieux… Rester avec la même personne cinquante ans, y a de quoi déprimer ben raide. On devrait faire des contrats de mariage de dix ans, pis après tu te sépares et tu recommences avec une autre.

— C'est le fun, pour dire comme toi, mais les enfants, eux autres ?

— Ils s'habituent. De toute façon, au bout de dix, douze ans, les enfants sont tannés de leurs vieux. La preuve ? Il y a pas une ado qui changerait pas sa mère pour celle d'une de ses copines. Les gars, c'est encore pire. On changerait pas notre mère, on s'en débarrasserait pour juste la reprendre quand on a des petits à faire garder.

— Sais-tu, Mathieu, j'étais déprimée aujourd'hui…

— Pis là, ça va mieux, hein ?

— Tu me fous par terre avec ta… philosophie.

— Je fais de la philosophie ? Ben content de savoir ça. Vois-tu, on a pas besoin de se taper vingt ans d'études pour faire de la philosophie, il s'agit juste de penser, pis moi je suis un grand penseur, je pense tout le temps. Sais-tu, madame Clara, j'ai trop mangé, j'ai besoin de faire mon power nap.

— C'est ça, t'as deux minutes.

Mathieu s'étend sur le plancher et s'endort instantanément.

« C'est vrai qu'il a raison, la vie est peut-être faite pour le plaisir. Quand est-ce que j'ai eu du plaisir récemment ? Moi, juste moi ? Pas l'épouse, pas la mère, pas la grand-mère, moi, la femme ? Quand est-ce que je me suis amusée, que j'ai ri à gorge déployée ? Quand est-ce que je pense à moi, à ma santé, à mon bonheur ? J'arrête de m'en faire pour Étienne et je pense à moi. J'ai pas honte de penser à moi. Je me sens pas coupable de vouloir être heureuse avant de mourir. Au moins, je vais essayer. »

31

C'est un dimanche de pluie, de grisaille. Un mauvais temps pour les enfants. Chez les voisins de Clara, dans la petite maison jaune, Charlène les a installés à la table basse du salon avec un casse-tête trop compliqué pour eux. Réduits au silence, Émile et Mégane se poussent du coude et rigolent de ce petit rire retenu si agaçant. À la table de la cuisine, Jean-Christophe en perd sa concentration et, exaspéré, repousse son ordinateur portable.

— Ça fera, les enfants !

— On parle pas, on fait juste rire. C'est défendu de rire ?

— Allez rire dehors.

— Maman a dit de faire le puzzle ici.

— Il pleut dehors, papa.

— Faites autre chose… ailleurs.

Charlène, qui vient de terminer le lavage de quelques verres, enlace les épaules de son conjoint.

— Toi, mon amour, tu pourrais pas aller lire ailleurs ?

— D'abord, je lis pas, je travaille et puis…

La porte d'entrée s'ouvre et Caroline, l'ex de Jean-Christophe, apparaît dans toute sa splendeur avec deux sacs Simons dans une main et un trousseau de clefs dans l'autre. Comme si elle était chez elle.

Charlène est insultée.

— Là, là…

— Allô, Émile! Maman t'a fait une surprise. Je t'ai acheté un coton ouaté avec un capuchon comme t'aimes. Viens voir ça, viens me faire un câlin. Viens!

Mais le garçon ne bouge pas, il sent la soupe chaude. Mégane cherche à placer un morceau du casse-tête sans succès et sans réaliser ce qui se trame.

De plus en plus furieuse, Charlène cherche ses mots. C'en est trop. Elle s'avance vers Caroline, le regard en feu, et tend la main.

— Je reprends les clefs de la maison, de NOTRE maison.

Figée, Caroline quémande du regard l'aide de son ex, qui est aussi paralysé.

— C'est JC qui m'a donné les clefs.

Émile fait signe à Mégane et ils se lèvent en douce. Deux complices qui filent vers l'escalier.

— On va aller jouer en haut.

— Donne, Caroline. C'est un ordre! Pis attends pas que je les prenne moi-même.

Les enfants assis dans les marches plus haut suivent la scène. Charlène sort deux clefs du trousseau et lance le reste sur le guéridon.

— Ça peut pas continuer comme ça. L'an passé, vous aviez tous les deux accepté mes règles, que vous avez tous les deux transgressées comme si de rien n'était.

Jean-Christophe se lève et, dignement, enlève des mains de Charlène les deux clefs de la maison.

— Tu restes calme, Charlène.

— Non, je reste pas calme. Tu voulais un mariage parfait avec elle. Comme ça a pas fonctionné, t'as voulu un divorce parfait. C'est pas possible. Tu rêves en couleur, monsieur le psy.

Jean-Christophe et Caroline se regardent, totalement étonnés du comportement agressif de Charlène.

— Je suis très attaché à Caro. C'est ma meilleure amie. Tu le sais.

— Pourquoi tu restes pas avec elle, d'abord?

— Je reste pas avec elle parce que c'est avec toi que je vis… et un peu avec elle. Pis Caro est la mère de mon fils.

— Clara avait donc raison. Il te faut deux femmes pour être heureux. Ben moi, la bigamie…

— On devrait pouvoir aimer encore la personne que l'on quitte.

— Je comprends pas pourquoi t'as divorcé! Vous êtes toujours ensemble.

— Je vais te parler des hommes, Charlène. J'étudie le cerveau des hommes et celui des femmes depuis un bout. Les hommes, quand ils divorcent, se sentent coupables envers la femme laissée et ils essaient de réparer le plus possible en lui faisant plaisir…

— Mais tu te rends pas compte que tu entretiens son amour en étant fin avec elle? Laisse-la faire son deuil de votre relation, calvinus! Ça prend au moins deux ans pour guérir d'une peine d'amour. Toi, tu grattes la plaie, en lui faisant faire des clefs, par exemple…

— Je déteste me sentir coupable.

Caroline s'avance vers eux. À son tour d'être en colère.

— Et moi, je déteste me sentir de trop! Je m'en vais, je reviendrai plus, j'emmène Émile avec moi. Tu le reverras plus.

— On a un arrangement. Je m'occupe de mon gars. Tu viens le voir ici. Ça marche. Cet enfant-là est heureux avec moi.

— Mais moi, la femme de monsieur le bigame, je le suis pas ! J'ai fouillé dans sa sacoche, elle a ta photo dans son portefeuille. Elle t'aime encore. Tu vois pas qu'elle essaie de te ravoir ?

— C'est mon héros, c'est le seul homme avec qui je me sens sécure. Pis c'est vrai, je me rassasie de miettes, mais des miettes c'est mieux que rien, ça me permet de rêver qu'on est encore en couple, que je suis encore sa vraie femme. Et puis tu sais, JC, personne peut t'aimer comme je t'aime, surtout pas elle ! Je vais me battre pour te garder à moi seule.

Charlène n'en croit pas ses oreilles. Elle a le goût de la secouer pour lui remettre les idées en place. La colère monte en elle.

— Attachez-moi, quelqu'un !

— Et puis JC a besoin de moi pour son étude sur le divorce parfait. Il veut même écrire un livre sur nous. C'est un grand écrivain, mon JC. Je l'inspire, je suis son…

Devant l'énormité de la situation, Charlène retrouve son calme et se tourne vers son conjoint qui assiste à la joute verbale des deux femmes, dépassé par la situation, mais pas non plus fâché qu'on se l'arrache.

— Choisis : elle ou moi ? On est rendus là.

Un grand malaise s'ensuit. Jean-Christophe se rassoit à la table. Personne n'a vu les enfants qui les épient dans l'escalier.

— Je vois bien que mon rêve d'un divorce parfait vient de sombrer, alors je choisis… Charlène, je suis d'accord : tu reprends les clefs.

Charlène défie Caroline d'un air victorieux.

— Ta maudite femme va savoir de quel bois je me chauffe ! Je vais t'enlever ton fils ! Je vais briser ta vie !

Caroline tourne les talons, attrape son sac à main, mais décide de laisser ses sacs Simons. Elle aura ainsi une raison de revenir.

Elle sort de la maison sans refermer derrière elle et sans remarquer que, dans l'escalier, son fils a éclaté en sanglots.

Charlène et Jean-Christophe sont sans voix. Émile descend l'escalier et entoure son père de ses deux bras. Mégane est inquiète, elle ne veut pas perdre son ami, son presque frère.

— Papa, trouve une solution. Moi, je vous aime tous les trois.

— Maman, je veux plus que vous vous disputiez. Ça me fait peur.

Charlène ouvre les bras à sa fille qui s'y réfugie. Jean-Christophe ébouriffe la tignasse de son fils.

— Je m'excuse, mon Émile. Je vais arranger ça, tu vas rester ici.

— Ça se reproduira plus, Mégane. On va s'en aller d'ici, toutes les deux. On va être bien mieux, juste nous deux.

Émile pleure encore plus fort et, pour le consoler, Mégane lui prend la main. Au tour de Jean-Christophe d'avoir les yeux pleins de larmes. Lui qui ne pleure qu'au cinéma. Puis il lance :

— Charlène, c'est moi… je vais m'en aller, moi.

Et cette fois-ci, c'est au tour de Charlène d'éclater en sanglots.

Au même moment, sous un parapluie, Clara est à la porte avec un pain et des muffins dans un panier. Un prétexte pour visiter ses voisins, pour briser sa solitude depuis le départ d'Étienne. Jean-Christophe sort la rejoindre et l'entraîne sur la galerie.

— Qu'est-ce qui se passe? Vous avez l'air ben inquiet. Est-ce que tout va bien?

— On va marcher jusqu'au ruisseau. Venez…

— J'étais venue vous porter mon pain et des muffins aussi que j'ai cuisinés…

Jean-Christophe dépose le panier sur une chaise de la galerie.

— C'est gentil, Clara, très gentil. Merci.

Ils marchent dans l'allée, puis bifurquent vers le ruisseau. Jean-Christophe lui raconte en gros ce qui vient tout juste de se passer. Il termine avec un soupir de lassitude :

— Charlène s'en va avec la petite.

— Vous la laisserez pas partir, j'espère.

— Je sais plus quoi faire. Je suis en train d'écrire un livre sur comment réussir son divorce. Ironie de la vie!

Clara rirait si elle n'était pas si déprimée.

— Si vous voulez mon avis, écrivez un traité sur les difficultés de se séparer, plutôt.

Le thérapeute est trop absorbé dans ses problèmes pour comprendre l'allusion.

— Je l'aime, Charlène, elle peut pas partir comme ça.

— Prouvez-le-lui.

— Comment?

— Vous êtes aveugle ou quoi? C'est pourtant simple, votre situation.

Jean-Christophe se laisse tomber sur le banc, face au ruisseau. Clara le rejoint et poursuit :

— L'année dernière, vous aviez le même problème, et je vous avais conseillé, à vous et Charlène, d'établir des règles claires pour tout ce qui concerne la présence de votre ex dans votre maison, les visites à son fils, et en disant bien à Caro de s'y tenir absolument. Si je comprends, vous avez pas eu le courage d'affronter votre ex. Vous risquez de perdre votre Charlène.

Jean-Christophe n'est plus un psychologue, il n'est qu'un homme désespéré, déchiré entre un amour qui se meurt et un autre qui naît.

32

Deux jours plus tard, Jean-Christophe, Charlène et Caroline sont attablés dans un restaurant feutré. Un lieu neutre. Charlène énumère à haute voix les règles qu'elle a établies. L'atmosphère est glaciale.

— Pas de gestes d'affection, de petits becs et d'autres caresses à saveur sexuelle avec mon chum. Pas de jeu de séduction entre vous. Ayez une relation quasiment d'affaires à la place.

— Ah ben là, si je peux pas être son amie… On a vécu ensemble, on a couché ensemble… Merde!

Charlène reste imperturbable et avale une gorgée de vin rouge. Jean-Christophe est visiblement mal à l'aise. Caroline est raide comme une barre.

— Pas de potinage entre vous, de messes basses. Ne plus rappeler de souvenirs du temps où vous étiez ensemble. Quand tu veux venir chercher ton fils, Caro, tu téléphones avant pour prendre rendez-vous. Tu me parles à moi.

— JC, dis quelque chose. Réagis, merde!

— Je suis d'accord avec ma femme.

— Mais le livre que t'écris sur le divorce parfait… C'est un projet qu'on a bâti ensemble…

— Je vais écrire plutôt sur les difficultés du divorce. Je viens de comprendre qu'il peut pas y avoir de divorce parfait parce que ceux qui se séparent ne sont pas parfaits.

Petit sourire malicieux de Charlène, qui se sent forte de l'appui de son conjoint.

— Pas entrer dans la maison s'il y a personne, même si la porte est débarrée, ce qui arrive souvent à la campagne. Pas t'inviter à la dernière minute. Aussi, Caro, pas te servir des enfants pour passer tes petits messages. Ce que tu fais souvent.

— On peut rester amis, JC et moi. Pourquoi pas ? On s'entend bien.

— Rester amis, c'est nourrir le fantasme qu'il va te revenir et… allume… il te reviendra pas.

Caroline cherche en vain le regard de Jean-Christophe, qui a le nez dans le menu ouvert devant lui. Elle entretient l'espoir qu'il s'oppose, mais il n'en fera rien : il sauve son couple. Dans son cœur, il reste cependant persuadé que deux femmes qui l'aiment, c'est mieux qu'une seule. Mais il a pris la décision de soutenir Charlène. Il lance doucement en fixant son ex :

— Pas d'amitié, mais du respect mutuel, de la confiance, de la communication, de l'honnêteté. Une association quasiment d'affaires, comme le dit si bien ma femme.

— Arrête donc de l'appeler « ta femme », vous êtes même pas mariés.

— Ça va se faire… bientôt !

Charlène, surprise, tente bien maladroitement de cacher sa joie.

— Pis moi là-dedans ? Hein ? Moi ?

Caroline se sent toute petite, toute seule, larguée. Et puis ils sont dans un restaurant chic et bondé, elle ne veut pas se faire remarquer. Jean-Christophe pose sa main sur la sienne, adoptant un ton paternaliste.

— Tu vas voir, Caro, tu vas trouver un autre amour. Un homme qui te mérite vraiment.

Charlène rajoute une couche avec délectation :

— Je suis pas psy, mais quand tu vas avoir fait le deuil de Jean-Christophe, tu vas vite tomber en amour. Je sais plus qui a dit que pour aimer il faut avoir le cœur libre.

— Je l'aimerai toujours, JC ! Je vais jamais retomber en amour.

Elle a presque crié de désespoir ses dernières paroles. Des têtes se tournent. Elle sourit, gênée.

— Caro, ça fait deux ans que tu es dans le déni total. Réveille ! Reviens à la réalité. Je t'ai aimée, je t'aime plus, j'aime une autre femme. J'aime Charlène. C'est ça, la réalité.

Caroline se lève brusquement, elle attrape son sac à main et se dirige vers les toilettes. Jean-Christophe amorce un mouvement pour la suivre, mais Charlène veille au grain. Il se rassoit.

— Je sais que c'est difficile pour elle. Je sais que c'est difficile pour toi. Je le comprends, mais ça peut pas continuer et tu le sais.

— J'admets que notre triangle était pas sain. Je me suis trompé sur toute la ligne.

Au bout d'un moment, Caroline revient, impeccable, les lèvres fraîchement glossées. Elle ne se rassoit pas avec eux.

— Je vais rentrer, ma nouvelle vie m'attend. Bonsoir et merci pour l'invitation. Je vais te téléphoner, Charlène, avant de venir chercher mon fils pour le week-end… notre fils Émile.

Puis elle pivote sur ses hauts talons et marche vers la sortie. Des hommes se retournent sur son passage. C'est une belle femme élégante. Jean-Christophe est triste, en deuil.

— Dire à une personne qu'on a aimée qu'on l'aime plus…

— Ça prend du courage.

— C'est la chose la plus cruelle que j'aie jamais faite.

Sur le trajet du retour, Charlène a la décence de ne pas afficher un air triomphant. Une fois la gardienne payée et repartie, les deux enfants en pyjama attendent des nouvelles. Il faudra beaucoup de diplomatie et de psychologie à Charlène et à Jean-Christophe pour leur expliquer les nouvelles règles concernant Caroline et faire valoir que c'est mieux pour tout le monde. Émile est tout de même soulagé de rester avec son père. Il aura besoin de plusieurs petits becs pour qu'à nouveau il se sente en sécurité.

Les parents se séparent, se remettent en couple avec d'autres, mais les enfants, eux, voudront toujours que leur vrai papa et leur vraie maman restent ensemble.

Cette nuit-là, pour la première fois, l'ombre de l'ex ne plane plus dans la chambre de Charlène et Jean-Christophe. Malgré leur fatigue, ils font l'amour comme ils ne l'ont pas fait depuis des lustres. Libre de jalousie, libre de culpabilité.

En tout cas, cette nuit-là.

33

Étienne déambule parmi la faune de la rue Saint-Denis : des touristes, des jeunes, des sans-abris, des universitaires, des couples d'amoureux.

« Une soirée magnifique. Je flâne comme un touriste. Je perds carrément mon temps. Je devrais profiter de ma liberté pour rencontrer du nouveau monde, me distraire, aller le jour à la piscine. Eh bien non, je pense juste à elle. Je l'imagine dans le potager, ou en train de touiller une salade, de cligner les yeux de sommeil devant un film. Est-ce qu'elle s'ennuie de moi ? Est-ce que je lui manque ? Au téléphone, elle a dit qu'elle aimait ça, finalement, vivre toute seule. Est-ce que c'est vraiment la vérité ? Ce serait du Clara tout craché de me faire accroire une telle chose. Elle doit quand même s'ennuyer, je dois lui manquer. C'est vrai que durant les longs mois de ma thérapie je l'ai pas mal mise de côté. C'était nécessaire. Il fallait que je me trouve, que je me soigne l'âme, que je sache qui je suis. Je vais mieux maintenant. Tellement mieux. Je sais qui je suis, un homme hétéro qui a des désirs hétéros, point à la ligne. Je connais mes besoins : tendresse, complicité, sécurité, paix, et Clara m'apporte tout ça. Mon psy me recommande de réfléchir encore, mais c'est tout réfléchi. Je sais ce qui est important dans ma vie, et c'est notre relation. »

Étienne s'assoit dans un coin de la terrasse du Second Cup et compose le numéro de la maison. C'est leur boîte vocale. Il ne veut surtout pas laisser un message. Ce qu'il a à dire ne se laisse pas en message. Il prend une décision, consulte sa montre, il est vingt-trois heures. Son cœur bat à tout rompre, il a vingt ans.

**

La journée a été pénible, trop chaude, trop humide, longue. Clara et Mathieu ont complété les paniers bio à la brunante, les ont ensuite chargés dans la camionnette en prévision du départ à l'aube, recouverts d'une bâche sécuritaire pour les protéger des animaux fureteurs.

Clara, sans se laver ni même retirer ses bottes de travail, s'est assise sur le sofa moelleux du salon, avec une bière qui lui a tenu lieu de repas du soir. Trente minutes plus tard, elle dort profondément avec un des deux chats sur elle. Depuis le départ d'Étienne, il lui arrive souvent de s'endormir ainsi, sans se doucher, trop fatiguée, trop déprimée pour prendre soin d'elle.

Il est près d'une heure du matin quand elle est réveillée par le claquement d'une porte.

« Je suis où ? Comment ça se fait que je suis pas dans ma chambre ? Pas déjà Mathieu ? Quelle heure il est, là ? »

Elle se redresse pour aussitôt retomber sur le sofa. Trop déprimée pour livrer les paniers. Trop fatiguée pour vivre. Elle retourne vite dans le sommeil. Une main lui touche l'épaule.

« Je rêve à Étienne. Oh oui, touche-moi, mon amour. »

— Clara, c'est moi !

« Je sais que c'est toi, viens te coller sur moi… que je sente ta peau, ton odeur. »

— Clara, réveille-toi!

— Hein?

Elle ouvre les yeux et, en voyant son rêve incarné, elle prend peur et lâche un cri.

— C'est moi, c'est rien que moi.

— Qu'est-ce que tu fais… dans mon rêve?

— Je suis pas dans ton rêve, je suis là en chair et en os.

— Il est quelle heure?

— Tard.

Elle se lève, retire ses bottes, rabat coquettement ses cheveux avec ses mains.

— C'est vraiment toi?

— C'est vraiment moi.

— Je suis contente.

— Moi aussi, je suis content.

Ils ne se touchent pas, ils se regardent au-delà de l'apparence. Leurs cœurs se connectent.

— Je me suis ennuyée de toi.

— Pas autant que moi.

Ils se prennent les mains.

— J'ai les mains sales.

— Elles sont belles.

— J'étais en train de rêver à toi, à tes mains sur moi.

— Moi, j'ai rêvé souvent qu'on faisait l'amour.

Elle se sent sale, fripée, négligée.

— Je prends une douche, attends-moi…

— Je la prends avec toi. Je peux?

***

Le lendemain matin, Mathieu attend Clara dans la camionnette devant la porte d'entrée. Il klaxonne: ils vont être en retard au point de chute de Longueuil. Clara apparaît sur la galerie, une grande veste de guingois sur sa jaquette.

— Sais-tu, mon beau Mathieu, c'est toi qui vas livrer les paniers. Je te fais confiance. La liste des clients est dans la boîte à gants.

— Moi, moi tout seul? Yes! Merci, belle madame! Tu le regretteras pas. L'auto, là? Il est revenu?

D'un air coquin, Clara lui confirme que oui, son Étienne est de retour. Il lève un pouce victorieux. Son jeune employé s'installe au volant et démarre, tout fier de sa mission. Ce sont des lingots d'or dont il a la responsabilité.

Dans la cuisine, Clara et Étienne déjeunent. Ils n'ont pas le goût de parler, juste de se regarder, juste de profiter l'un de l'autre, de savourer en silence leurs retrouvailles. Les explications, les nouvelles règles, ce sera pour plus tard.

34

Claude et Francis s'entendent au moins sur une chose : ne jamais mêler Gabriel à leurs disputes. Profitant du retour d'Étienne, l'enfant passe souvent des week-ends chez ses grands-parents.

Au début du repas sur le patio, la conversation est anodine. Claude sert la salade asiatique en silence, l'air soucieux. Francis sait qu'il va l'affronter. Surtout en l'absence du petit. Il décide donc d'attaquer.

— I have a good and a bad news.

— Commence par la bonne.

— J'ai un contrat… How do you say… faraminous. A lot of money !

— Et la mauvaise ?

— C'est à New York.

— Ah, combien de semaines ?

— Un contrat pour une nouvelle série télé. Three years ! Maybe four or five. HBO, man !

Claude se mord l'intérieur des joues pour se retenir de hurler.

— Un contrat que je peux pas refuser, a big contract qui va m'ouvrir les portes d'Hollywood.

— Qu'est-ce que tu ferais à New York que tu peux pas faire ici ?

— Je suis un master maquilleur. Parce que tu sauras que j'ai un métier et que je l'aime. Si je fais pas autant d'argent que toi, ça veut pas dire que mon travail a pas autant d'importance que ton métier d'ingénieur.

— Profession! Je suis un professionnel. J'ai étudié cinq ans à l'université pour devenir ingénieur. Toi, t'as étudié combien d'années pour barbouiller des faces d'actrices: six mois?

Francis hausse les épaules et continue de manger. Il est humilié. Ce n'est pas la première fois qu'ils sont en compétition pour qui a le meilleur revenu, le meilleur statut social, qui est le meilleur père, le meilleur amant.

— Si tu veux me garder, tu vas être obligé de venir vivre avec moi à New York.

— No way. On a Gabriel. Tu vas pas le faire vivre à New York. Il parle pas l'anglais.

— D'abord, il parle presque pas. Même pas le français, et ce sera pas le premier enfant qui va suivre ses parents.

— Mais ses grands-parents sont ici.

— Ils seront les bienvenus chez nous.

— Mais ma job à moi?

— T'en trouveras une autre. Qui sera mieux payée aux States.

— Je suis né ici, je veux vivre ici!

— Then tu vas vivre sans moi.

Francis retourne à l'intérieur avec le reste de la bouteille de vin. Quelques minutes plus tard, il revient sur le patio et se plante devant Claude qui, ulcéré, grignote un bout de fromage.

— Listen to me, please.

— Assis-toi ! Tu m'énerves quand tu te tiens debout devant moi pour me prouver que t'es plus grand que moi.

— Je suis plus grand. Faut bien que j'aie une supériorité quelque part.

— Dans notre couple, je pensais qu'on était égaux.

— Dans notre couple, je suis celui qui a fait toutes les concessions. Pour toi j'ai appris le français, pour toi je suis venu au Québec, pour toi j'ai laissé ma clientèle de Toronto, pour toi je gagne moins d'argent.

— Je t'ai pas forcé, à ce que je sache.

— J'habite dans ta maison, je mange la nourriture que tu cuisines. Je suis dépendant de toi.

Francis brasse une chaise. Il y a de l'exaspération et de la peine en lui.

— Je suis pas une femme pour me faire vivre par un homme !

— Comme tu gagnes moins que moi, je pensais te faire plaisir.

— Le pouvoir dans un couple va à qui a l'argent, et c'est toi qui as l'argent.

— Pour que tu sois heureux, je devrais gagner moins ? Vivre dans un deux et demie ?

— Je me sens à tes crochets.

— Il faudrait que je gagne le même salaire que toi pour qu'on soit heureux ?

— Peut-être, je sais pas. Ce que je sais, c'est que je me sens en infériorité. J'ai mon orgueil de mâle. Et puis, there is Gab... Gabriel ?

— Tu l'aimes, je le sais, dis-moi pas que tu l'aimes pas ? Je te vois avec lui...

— J'aurais aimé décider avec toi pour son adoption.

— Je sais, tu me l'as assez reproché, mais on va pas en adopter un autre pour…

— Au moins, j'aurais l'impression d'être un père à valeur égale.

— T'es compliqué, Francis.

— Think about it, Claude! Peut-être que c'est à ton tour de faire des compromis. Moi, je pars vivre à New York. Tu me suis si tu m'aimes vraiment. That's it. Oh, oh, I'am so fed up, j'ai besoin d'aller au sauna!

C'est comme si Francis avait assommé Claude d'un coup de batte de baseball.

— Vas-y, au sauna, mais si tu y vas, reviens pas ici!

Francis ouvre avec fracas la porte moustiquaire du patio et lui lance une phrase assassine.

— La fidélité, ce sont les femmes qui exigent ça, pas les gars. Moi, en tout cas, je suis pas capable d'être fidèle. Take it or leave it!

— Moi, je suis capable. Je me force même pas: je t'aime, moi.

— Moi aussi, je t'aime. J'aime pas ailleurs, je fais juste baiser ailleurs. Juste baiser! Goddamn!

Francis disparaît à l'intérieur. Claude se sent comme électrocuté. Il entend le bruit du moteur de la voiture qui démarre et s'éloigne dans la rue.

« Maudit orgueil mâle. Même pas capable de dire à mon chum que j'ai besoin de lui. »

35

Ils sont tous les trois dans la balancelle. Le petit Gabriel joue plus loin avec les poules qui picorent autour du poulailler. Ils parlent de la pluie et du beau temps, comme si Étienne n'était jamais parti de la maison, quand soudain Claude toussote pour les avertir qu'il a quelque chose d'important à leur demander.

« Il va sûrement nous parler du départ de Francis à New York. J'espère qu'il va pas le suivre, je pourrais pas me passer de mon petit-fils. »

— La fidélité dans le couple, vous êtes pour ou contre ?

Clara et Étienne partent à rire, ce qui surprend Claude. Et c'est Étienne qui avance :

— En me mariant avec ta mère, je lui ai juré fidélité au pied de l'autel. Je tiens parole. Je suis un homme de parole. C'est aussi simple que ça. Toi, Clara ?

On sent qu'il a appris avec son groupe d'hommes à donner la parole aux autres.

— Pour moi, mon Claude, la fidélité, c'est une question de confiance mutuelle. J'ai confiance en Étienne. Je lui fais confiance. Il a confiance en moi.

— Un couple qui se fait pas confiance peut pas durer longtemps. Il faut se faire confiance. Les fois que ça m'a passé par l'esprit de… je veux dire de la tromper – ça arrive –, je me suis dit : « Si elle l'apprend ou si je lui dis, elle aura plus confiance en moi. Et je pourrais pas vivre avec quelqu'un qui a pas confiance en moi. » Aussi simple que ça.

— Moi, c'est pareil…

Elle a un regard oblique vers son conjoint en ajoutant :

— Je pourrais pas vivre avec quelqu'un en qui j'ai pas confiance. C'est sûr.

Son regard est maintenant interrogatif, comme une façon de demander à Étienne une preuve verbale de sa fidélité. C'est Claude qui enchaîne avec une question :

— Peut-on être tout à fait certain de la fidélité de l'autre ?

« Je doute pas de mes parents. Mais me disent-ils vraiment la vérité ? »

— Francis et moi, on est pas liés par une promesse faite au pied de l'autel. Si on était mariés…

— Tu vas pas te marier juste pour ça !

C'est Clara qui s'est exclamée, à la surprise d'Étienne qui, à force de côtoyer des gais, est devenu plus compréhensif.

— Je le sais plus, là. C'est peut-être pour la promesse de fidélité qu'il y a tant de mariages gais, maintenant que c'est permis par la loi.

— Avez-vous convenu dès le début de ce que voulait dire pour chacun de vous le mot « fidélité » ?

— Euh… oui pis non. Pas vraiment. On parle pas de fidélité quand on est en amour par-dessus la tête, et après il est comme trop tard. On parle pas de fidélité, mais d'infidélité.

— Peut-être qu'il faudrait que tu lui dises ce que signifie pour toi la confiance en l'autre.

— Je lui dis que je veux pas qu'il me trompe.

— Faudrait lui dire pourquoi TU es fidèle et chercher pourquoi lui a besoin de te tromper.

Étienne, qui a réfléchi manifestement aux derniers conseils de sa femme, est encouragé par son regard approbateur :

— On en a discuté dans mon groupe. On en est venus à la conclusion que la fidélité est pas une cause de rupture, mais le symptôme d'un malaise dans le couple. Faut trouver le malaise, mon gars. Parlez-vous, accuse-le pas, écoute-le plutôt. Parle au « je ».

« Mais il est en train de me voler ma place ! S'il se met à donner des conseils… »

— Étienne a raison. Parlez-vous ! Il y a pas de couples qui tiennent sans communication.

— Francis est pas parlable.

— Révise ta façon d'aborder le sujet. Accuse-le pas, parle de tes émotions à toi. Pis si ça marche pas, vous pouvez consulter un conseiller matrimonial. On va voir un docteur quand le corps fait mal. Là, c'est la relation…

— Papa, on est deux hommes dans notre couple. Les hommes consultent pas, ils règlent leurs problèmes tout seuls. C'est pas parce que t'es gai que t'es pas macho.

— Je pensais comme toi avant à propos des psys. Je me trompais. J'ai fait une dépression dont je me suis sorti avec l'aide de la médecine, d'un psychologue et l'entraide de mon groupe d'hommes. Je suis pas moins un mâle parce que j'ai demandé de l'aide. Tout le contraire. Je suis devenu un homme complet, heureux. Je sais qui je suis et ce que je veux, enfin, plus qu'avant.

Clara est mal à l'aise, elle réalise davantage qu'Étienne n'est plus ce qu'il était. Elle a peur, soudain.

«Par contre, ce qu'il veut vraiment, il m'en a jamais parlé…»

Elle descend de la balancelle, elle doit vérifier ce qu'elle va préparer pour le repas du soir.

— Tu restes à souper?

— Oui, certain, maman.

Au passage, elle ébouriffe les cheveux de son petit-fils qui, maintenant, joue dans le sable avec des roches en guise de camions.

Dans la cuisine, elle sort du congélateur un gros rosbif et dresse l'inventaire des légumes racines qu'elle va faire griller en brochettes sur le barbecue.

«Du bœuf! De quoi leur faire chaud au cœur. Les hommes trouvent dans le bœuf un réconfort que le poulet semble pas leur apporter. Ce sera un régal, question de célébrer mon mari perdu et retrouvé.»

Dans la balancelle, le fils et le père ne se parlent pas. Les hommes ne sentent pas toujours comme les femmes l'obligation de remplir le vide du silence. Ils habitent le silence. Ils y sont bien. C'est un refuge souvent, c'est aussi un lieu de repos. Après un moment, Claude sent le besoin de demander à son père comment cela se passe pour lui, sa thérapie.

— Bien. Très bien! Consulter a été la meilleure chose que j'ai faite dans ma vie, après avoir marié ta mère pis de t'avoir fait. Mes nœuds sont dénoués. Je suis un nouvel homme, et c'est drôle, hein, on dirait que je m'aime mieux, puis par le fait même j'aime mieux ta mère aussi. Je dis pas plus parce que c'est pas possible, mais mieux. C'est ça, l'absence m'a fait apprécier ce que je prenais pour acquis. Mon séjour à Montréal, je me suis ennuyé, mon gars, ça a pas d'allure.

— Oui, mais l'absence c'est dangereux aussi, t'aurais pu trouver quelqu'un d'autre que maman à Montréal.

— J'aurais pu, c'est vrai, mais je regardais même pas. J'ai ta mère tatouée sur le cœur pour la vie. C'est ça, l'amour.

— C'est ça que je veux. Cet amour-là. Pourquoi je l'ai pas? Est-ce que ce serait une punition parce que je suis gai?

— Ça se trouve pas à tous les coins de rue, un amour comme le nôtre. Ou plutôt oui, ça se trouve, mais faut pas juste trouver l'amour, faut aussi le garder comme un trésor précieux, et là c'est pas facile.

— Je garde pas mes chums.

— Je sais pas comment ça se passe entre hommes gais, mais il y a rien comme la négociation dans un couple. Comme là, ta mère veut vendre notre ferme pour me faire plaisir, et moi je veux pas qu'elle fasse ce sacrifice-là. Je serais malheureux qu'elle se prive de ses amis... puis des miens par le fait même. Ça fait que...

— Ça fait que?...

— On va négocier. Pas un mot à ta mère. J'attends le moment propice. Ça aussi, j'ai appris ça, attendre le moment propice pour négocier.

Clara revient vers la balancelle, elle fulmine.

— Il a mangé de la moulée de poule. Vous vous êtes même pas aperçus qu'il était entré dans le poulailler!

— Y va pas en mourir!

— Non mais...

— Clara, tu crieras quand ce sera grave. Ça aussi, j'ai appris ça: donner de l'importance juste aux choses qui en ont vraiment.

— Lui pis sa thérapie ! Je te dis… on a pas fini d'en entendre parler !

Et pour changer le ton de l'échange, Étienne l'étrive quand il dit :

— T'as pas laissé le petit tout seul à la maison, toujours ?

Clara n'apprécie pas ce genre d'humour boomerang et elle le fixe durement.

— Il dort. Je te dis, Claude, que j'étais bien toute seule ! Quand ton père était pas là pour m'obstiner…

— C'est pas ce qu'elle m'a dit hier soir dans le lit.

Claude éclate de rire, même si imaginer ses vieux au lit le gêne un brin.

— Étienne ! Lui, depuis qu'il parle…

— Ta mère, depuis qu'elle a un mari qui parle, elle sait plus quoi faire avec.

— C'est vrai, ça.

On décèle un relent de tristesse dans le ton pourtant affectueux de Clara. Ils l'observent alors qu'elle retourne dans la maison.

— Papa, si je donnais un peu de lousse à mon chum, il resterait avec moi, peut-être…

— C'est à négocier avec lui. Il est pas encore parti à New York ?

— Non, mais c'est pour bientôt. Raconte-moi comment ça marche, un groupe d'hommes…

— Eh bien, ce sont des machos ensemble qui finissent par se rendre compte qu'ils sont rien que des petits gars vulnérables. Ils se mettent à parler sans se vanter, sans vouloir épater, ils se disent les vraies affaires. C'est beau à voir et à vivre. Je me suis fait un ami dans le groupe, un gai qui se nomme Alain. Je vais te le faire rencontrer, c'est un bel être humain. Un peu comme toi, mais en plus… fafouin. C'est lui qui m'a fait découvrir que j'étais hétéro à cent pour cent. Si on peut l'être à cent pour cent… Tout seul sur une île déserte avec un gai… au bout de dix ans, qui sait… La même chose pour les femmes. Je pense que les femmes, ça leur prendrait moins de temps pour… Elles ont tellement besoin de caresses. On a eu beaucoup de discussions sur la différence entre les femmes et les hommes. Pourquoi les femmes ont tant besoin de caresses et les hommes de sexe. Ça m'a fait comprendre notre sexualité, et celle des femmes. Il était pas trop tôt.

— P'pa, je te reconnais plus.

— Je prends ça comme un compliment. Merci, mon Claude.

Ils se taisent et se balancent. Ils sont bien.

— J'ai fait une erreur en te mettant dehors à vingt-trois ans.

— Parle pas de ça, p'pa… On a réglé ça, déjà…

— Je me suis trompé. Je reconnais mon erreur. Reconnaître ses erreurs au lieu de les nier, c'est difficile. Toutes ces années à manquer mon garçon parce que j'avais pas réglé mes problèmes. Maudit fou que j'étais. Maudit tarlais! Maudit homme pas capable d'admettre ses torts.

— Puis moi, toutes ces longues années à manquer mon père, mais trop orgueilleux pour aller le trouver et demander des explications. C'est lui qui a commencé, c'est à lui de faire les premiers pas. C'est con!

— On a perdu des années comme deux imbéciles. J'ai engueulé Clara parce qu'elle cherchait à te joindre, puis quand j'ai su que vous communiquiez par Internet…

je savais plus quoi faire… ça fait que j'ai fui dans la dépression.

— Moi, j'ai fui dans le sexe. Comme on fuit dans la boisson ou la drogue quand on peut pas régler ses problèmes. Mais ça va mieux depuis que j'ai un chum et un enfant surtout. Je me suis rangé.

— Tant mieux, mon gars. Moi aussi, je suis rangé, comme tu dis.

— On a vingt ans à reprendre, nous deux. On va les reprendre.

Ils descendent de la balancelle pour se marteler les épaules de coups de poing. Étienne ébouriffe les cheveux de son fils comme quand il était petit.

36

Après avoir bordé Gabriel, Claude s'installe au salon. Il prévoit une longue soirée d'attente.

« Francis va revenir du sauna, il va se doucher longtemps comme pour se laver des odeurs des autres hommes. On va se coucher chacun de notre bord du lit. Non, on ne fera pas l'amour, on en a pas le désir ni l'un ni l'autre depuis notre dispute sur son départ à New York. Mais il y a beaucoup plus que la sexualité qui nous attache l'un à l'autre. Il y a la complicité, une certaine tendresse bourrue. Il y a surtout ce désir d'être ensemble. C'est le plus sain des désirs, le plus important. »

Puis le cliquetis de la clef dans la serrure de la porte d'entrée. Le cœur de Claude bat vite quand Francis apparaît avec les bras encombrés de sacs de boutiques haut de gamme.

— J'ai magasiné au lieu de baiser, t'es content? Sais-tu, c'est quasiment aussi l'fun. En tout cas, ça arrive en deuxième dans mes plaisirs solitaires.

Il se débarrasse des sacs en les éparpillant ici et là. Claude est soulagé. Lui aussi partage son goût pour les guenilles quand ça ne va pas.

— Montre-moi ça !

Et Francis de déballer ses achats comme un ado sous les yeux brillants de son amoureux.

— Et c'était en vente ! On aime-tu ça, les rabais ? Et puis j'ai pensé à toi. Tiens, mon amour !

Il lui lance un sac en cuir de luxe avec de multiples pochettes.

— À moi ?

— Je déteste ton sac à couches avec des oursons bleus.

Claude examine le nouveau sac.

— Les oursons, je les aimais bien. Gaby les aime aussi.

Francis continue de déballer ses achats sans noter que maintenant son conjoint visiblement voudrait passer aux choses plus sérieuses.

— Francis, viens t'asseoir… On regardera le reste plus tard.

— Qu'est-ce que t'as tout à coup ? Je suis pas allé au sauna. Pour te faire plaisir.

— Assis-toi.

— Bon, le sermon.

— Non, on va parler.

— Not again ?

Francis s'étale avec nonchalance dans le fauteuil qui fait face à Claude.

— Shoot !

— Je voudrais savoir ce que signifie pour toi le mot « fidélité ».

— Oh no ! We're not going to talk about that again ? J'y suis pas allé, au sauna !

— Si tu rencontres un beau gars qui veut de toi, tu le sautes, oui ou non ?

— Yes.

— Pourquoi ?

— Parce que baiser, j'aime ça.

— Tu peux le faire avec moi.

— J'aime le changement, la diversité. Ça m'excite.

— Pourquoi?

— Parce que je suis un homme et que les hommes pensent juste au sexe tout le temps, tout le temps, les gais, en tout cas. On est faits de même.

— Je suis un homme et je pense pas juste à ça. J'ai mon travail, mon fils, mes parents.

— T'es pas un vrai gai.

— Toi, tu crois que tous les gais sont comme toi. Il y a autant de sortes de gais qu'il y a de sortes d'hétéros. Ceux avec des petits appétits sexuels, ceux avec des appétits ordinaires, ceux avec des gros appétits…

— Like me.

— Et l'amour?

— What, l'amour?

— C'est quoi, pour toi, l'amour?

— It's you and me, love.

— Quelle est la place de l'amour dans notre couple?

— Ah… Tu m'énerves avec l'amour. L'amour toujours! Laisse l'amour aux hétéros, man.

— Je parle sérieusement, très sérieusement.

Le ton est sec. Francis sait qu'il ne s'en sortira pas.

— I love you…

— Trop facile à dire! Que signifie l'amour dans ta vie?

— Quand je baise pis que je pars après, c'est pas de l'amour. Quand je reste, c'est de l'amour. That's it!

— Pourquoi ça t'agace quand on parle d'amour?

— L'amour, on le fait, on le vit, pas besoin d'en parler. In my book…

— Pourquoi sens-tu le besoin de me tromper?

— Je veux pas te tromper, je veux… get some fun, just fun.

— Et avec moi t'as pas de fun?

— Oui, t'es un bon baiseur.

— Alors?

Francis réfléchit, cherche les mots pour faire comprendre sa vision à Claude.

— Le kick de la chasse, c'est pas d'avoir une proie consentante, c'est de partir à sa recherche, de se geler la nuit à l'attendre dans un parc, au coin d'une rue, sans être certain de l'attraper, and then un regard, un déhanchement, une odeur de fauve… et ça y est… bing, bing, bang, une botte, deux, trois et on repart chasser.

— Je suis pas chasseur. J'ai horreur de la chasse. Beaucoup de contacts avec beaucoup d'hommes, ça remplace pas une relation intime.

— Tu parles comme les femmes.

— Et si elles avaient raison?

— Tu devrais te trouver un chum qui pense comme toi. Ça doit ben exister, des gais qui veulent être fidèles l'un à l'autre. Annonce-toi sur Facebook, sur les sites de rencontres. Moi, à part toi, j'en connais pas. De toute façon, tu vas être obligé de te trouver un chum steady parce que je pars toujours à New York. Tu dois décider bientôt si tu viens ou pas vivre là avec moi. Bon, j'ai soif. Veux-tu aussi une bière?

Francis se lève, nettement contrarié par l'attitude de son conjoint. Claude le suit, lui touche l'épaule, l'obligeant doucement à lui faire face.

— Veux-tu m'épouser?

Francis est époustouflé. Claude, de tout temps, était contre le mariage gai.

— What?

— Je te demande en mariage.

— C'est exactement ça que je déteste dans la relation intime : le chantage émotif, la culpabilité. Tu me demandes en mariage pour que je te jure fidélité. I hate love! I just love fucking! Understand?

— Et si un jour, pour une raison ou une autre, t'es plus capable de baiser?

— Je reviendrai avec toi. On fera un beau petit couple d'old fags.

— Tu m'aimes pas.

— Pas comme tu veux. Je suis pas capable de t'aimer comme tu veux!

— Va-t'en maintenant! Je veux plus te voir.

Claude monte à l'étage, rejoint Gabriel dans son petit lit, le borde, lui embrasse les cheveux. Puis les mots : « Va-t'en maintenant! Je veux plus te voir! » lui reviennent en mémoire. Ce sont les mots de son père quand il l'a chassé de la maison après avoir appris qu'il était gai.

37

La date de la dégustation de tomates approche, mais les clients et amis de Clara et Étienne n'ont pas encore reçu d'invitation. Certains s'informent auprès des autres, par téléphone, par courriel. Ce rituel annuel leur est précieux. C'est une occasion de se rencontrer, d'échanger. Surtout que la rumeur « de la dernière saison de la ferme bio » s'est répandue. Mais personne n'a osé vérifier auprès des principaux intéressés. Mathieu a été questionné souvent en catimini au moment de la distribution des paniers. Sa réponse a toujours été un haussement d'épaules. Il en a marre de leur silence !

Il profite du moment où il est à la table avec eux pour leur poser une question directe.

— Cette année, faites-vous votre dégustation de tomates ou ben rien pantoute ?

Clara et Étienne se sentent bousculés.

— Oui !

— Non !

— Écoute, Mathieu, on va en discuter. On va prendre une décision. On te le fera savoir.

Mathieu, qui sent la soupe chaude, se glisse de son pas élastique hors de la maison avec sa tasse de café et un bout de toast. Clara et Étienne se regardent comme si chacun voulait que ce soit l'autre qui prenne la décision.

— Étienne, je vais faire ce que tu veux.

— Moi aussi, je vais faire ce que tu veux.

— On ira pas loin comme ça.

— Je sais. En somme, ce qui nous empêche de décider pour la dégustation, c'est qu'on arrive pas à discuter de la vraie question qui nous sépare.

— Y a pas de vraie question qui nous sépare.

— Oui, Clara, il y en a une.

— C'est quoi?

— Est-ce qu'on finit notre vie selon tes goûts ou les miens?

— Il s'agit pas de ça du tout! Il s'agit de la dégustation de tomates…

— Il s'agit de savoir si on garde la ferme ou si on la vend, ou si on la loue.

— T'es dur.

— Non, clair.

Il hésite, puis lâche un grand soupir.

— Bon, o.k., je vais encore faire ce que tu veux.

— Non, si tu fais ce que je veux, tu deviens une victime, victime de mon égoïsme.

— Et si tu fais ce que je veux, c'est toi la victime, victime de mon égoïsme. Tu vois, on s'en sort pas.

— Alors on met les deux propositions dans un chapeau et on tire.

— Non! On va pas commencer à tirer notre vie au sort.

— Fais ce que tu veux, Étienne, mais fais-le! Sacre ton camp! T'as jamais été capable de prendre une décision. C'est le temps! Scram!

— Tu me diras pas ça deux fois.

Étienne se lève en bousculant sa chaise qui se renverse. Il donne un coup de pied dedans avant de sortir de la maison. Clara le suit, il marche d'un pas rapide vers le potager, mais, en apercevant Mathieu en grande conversation avec leur cliente Nancy, il s'arrête pile et dévie vers la grange. Nancy fait de grands signes à Clara, qui ralentit le pas.

— Salut, Clara.

— Je t'ai pas vue arriver.

— J'ai risqué un œil dans la cuisine, mais vous aviez l'air en grande discussion, ton mari et toi…

— Viens t'asseoir.

— Je veux pas te déranger, Clara.

Elles s'assoient sur le banc qui longe le grand potager. Sa visiteuse s'apprête à lui parler de la perte de ses seins quand Clara se met à pleurer.

— Qu'est-ce qu'il y a, Clara ?

— Étienne et moi, c'est fini. En tout cas, ça s'en va vers ça.

— Non, c'est pas possible. Pas vous deux !

— Il y a pas d'autre solution. Il veut vendre la ferme et moi je veux pas.

— Faites un compromis.

— C'est ou on déménage, ou on se sépare.

— Vos positions m'apparaissent extrêmes, il faudrait juste que vous fassiez chacun un pas vers l'autre. Réfléchir à une solution qui vous plairait à tous les deux.

— On est figés dans le ciment. Et c'est pas moi qui vais faire le premier pas.

— Pourquoi ?

— Parce que c'est pas moi qui veux vendre, c'est lui.

Nancy éclate de rire. Clara prend un air outragé.

— Tu ris de moi! T'as ben raison, je suis ridicule. On est tellement enfermés dans notre problème qu'on voit pas de porte de sortie, ou on veut pas la voir parce que ça réveillerait trop de vieux conflits refoulés.

— Comme?

— Le pouvoir dans notre couple. J'ai toujours été celle qui prenait les décisions, et ça, dès le début de notre relation. J'ai pris le pouvoir sans m'en apercevoir, sans savoir que je brimais sa liberté. Je prenais le pouvoir parce qu'il en voulait pas. Il a attendu cinquante-deux ans de vie de couple pour s'affirmer et, là, il me demande un sacrifice au-dessus de mes forces. Un sacrifice qui m'arrache le cœur. Je vendrai pas pour le suivre ailleurs où je connais personne. Je veux finir ma vie ici, seule ou avec lui. À lui de décider.

— Clara, je te reconnais plus. Toi qui vois si clair d'habitude.

— On voit toujours plus clair dans la vie des autres. J'ai, comme on dit, un arbre qui me cache la vue.

— Un arbre qui te cache la forêt, tu veux dire.

Clara acquiesce et se remet à pleurer doucement.

— Nancy, aide-moi!

Elle qui avait besoin de l'écoute de Clara est surprise du changement de rôles.

— Le cancer m'a appris que la vie est courte, que se chicaner est une perte de temps. Qui te dit que tu vas être en vie demain? Il faut vivre aujourd'hui comme si c'était le dernier jour de ta vie.

Clara est honteuse tout à coup de faire passer ses tracas avant le cancer de son amie.

— Je m'excuse, je t'ai même pas demandé de tes nouvelles.

— Je survis au cancer. Vivre, Clara, c'est juste ça qui compte, le reste peut s'arranger. L'important, c'est d'être vivant. Je suis vivante! Donc je suis chanceuse. C'est ce que je me dis tous les jours.

Clara a l'air d'une petite fille surprise les doigts dans le pot de confiture. Elle sourit faiblement.

— Merci de remettre mes priorités en rang d'importance. Ton opération?

Et Nancy de raconter son opération, la découverte de son torse plat et cicatrisé, sa réaction, celle de Nicolas, la maturité de Lulu qui l'appelle « maman ».

— C'est comme si le cancer m'avait redonné mon corps. Je vivais avant pour le regard des autres. Être mince, sexy! Le cancer me force à penser à moi, à ma santé. Mes seins peuvent plus être reliés à ma sexualité, j'en ai plus, mais je suis encore un être sexué. Je me sens femme sans mes seins parce que la sexualité peut pas être juste dans les seins. Comme la sexualité d'un homme se réduit pas à son pénis. La sexualité, c'est un tout à l'intérieur de soi. C'est le désir de l'autre et vice-versa. Enfin, c'est ce que je me dis, mais j'ai pas vraiment repris ma vie sexuelle.

— Il y a la reconstruction qui est possible. Regarde Angelina Jolie.

— Je sais, le docteur m'en a parlé. J'aurais pu avoir cette chirurgie le jour même de la mastectomie. J'ai pas voulu. Je sais pas encore si je veux reconstruire ma poitrine. Si je le fais, ce sera pour moi et non pour les autres.

— Moi, c'est la vieillesse qui me force à penser à moi. À ce que je veux, moi. À qui je suis, moi. Plus on vieillit, plus on se sent seule. On meurt seule.

La gravité du visage de Clara inquiète Nancy, qui lui prend les deux mains avec affection.

— Tu vas pas vendre la ferme ?

— Je le sais plus du tout.

— On a besoin de vous deux pour nous prouver que c'est possible, l'amour qui dure. Vous êtes un modèle pour nous. Avec tous les couples qui se séparent, vous êtes un espoir, un phare.

— Je sais plus si c'est possible, ça… l'amour qui dure. Peut-être que le mariage a été inventé pour durer vingt ans, pas plus. Maintenant que la vie est si longue, peut-être qu'il faudrait des contrats de mariage de dix ans, renouvelables sur demande ? Vieillir ensemble doit pas être une obligation, mais un choix.

— Moi, je veux vivre toute ma vie avec Nicolas… s'il veut de moi.

— Pourquoi il voudrait pas de toi ?

— Parce que je suis pas une femme complète, peut-être ?

— Non, non, non, je te défends de penser ça.

— J'ai tellement peur qu'il me délaisse parce que mon corps est mutilé. J'accepte de pas avoir de seins, mais les hommes, ont-ils du désir en pièces détachées ? Va-t-il être capable de désirer ce qui reste de moi, Nicolas ?

— Moi, je veux qu'Étienne m'aime comme je suis. Si ce que je suis maintenant ne lui convient plus, est-ce que je change pour lui ou je reste fidèle à moi-même ?

Elles se regardent, secouées par l'émotion. Malgré leur grande différence d'âge, elles sont des amies, mieux, des sœurs.

***

Étienne nettoie le poulailler en pestant. Autant il aime manger des œufs frais, autant il déteste nettoyer les cages des volailles. Soudain, une angoisse le traverse.

« La vie sans Clara ? Est-ce que je veux vivre sans elle ? Est-ce que je veux vieillir tout seul ? Si elle mourait, je devrais vivre sans elle. Me remarier, peut-être ? On dit que les hommes de mon âge sont des denrées rares pour les femmes. Ah non, pas recommencer à zéro ! Vivre sans elle ? Jamais plus la voir se réveiller, l'entendre chanter sous la douche, la voir descendre l'escalier en souriant et s'asseoir pour boire le café que j'ai préparé. Me passer de sa présence qui m'apaise… jusqu'à ce qu'elle se mette à me dire quoi faire, à me donner des ordres, toujours ses maudits ordres. »

Il termine le nettoyage en maugréant et sort à l'extérieur, indécis. Il n'a pas le goût de faire face à sa femme.

« Elle me traite comme son employé ! Elle a ben raison, je me conduis comme un employé ! Ce projet de ferme, j'y ai adhéré, mais ça a jamais été mon projet à moi. Pour Clara, c'était pour s'occuper à la retraite et faire entrer un surplus de sous pour ajouter à nos deux pensions. Mais c'était son rêve à elle ! Pas le mien du tout ! Qu'est-ce que je ferais sans elle ? Qu'est-ce que je veux ? Je pensais que la thérapie m'apporterait toutes les réponses. La thérapie me dit pas quoi faire. Est-ce qu'on se pose des questions jusqu'à la mort ? »

— À quoi tu penses ?

— Tu m'as fait peur.

— La dégustation de tomates, on la fait ou pas ? Nancy m'a confirmé que tous nos clients attendent l'invitation.

— C'est comme tu veux, je t'ai dit.

— Non, Étienne. C'est terminé ce temps où tu me mettais toute la responsabilité sur le dos. Pour la dégustation, on décide tous les deux.

— Euh… Oui.

— Oui, on décide tous les deux ou, oui, on fait la dégustation ?

— Tu me brusques, là.

— Oui, je te brusque.

— Tu sais que j'aime pas être brusqué.

— Et moi j'aime pas attendre une décision qui vient pas.

— Pas de dégustation de tomates cette année. Voilà ma décision, Clara.

38

Depuis qu'ils se forcent à échanger sans élever la voix, Mireille et Robert ont moins d'altercations. À voix basse, la chicane devient négociation. Ce truc glané dans un magazine de psycho-pop fonctionne, mais Mireille n'en dira rien à son mari, car il va croire qu'il se fait manipuler et il déteste ça.

Le bébé, dans son siège berçant sur la table, tente d'attraper les jouets qui pendent devant lui. Il gazouille, il est bien. Le couple s'en attendrit. La sonnerie du téléphone retentit.

— Oui, mon garçon. Ça marche, mon garçon ! On a hâte de la voir, ta blonde, mon garçon. Arrivez autour de cinq heures.

Robert raccroche, presque en extase.

— Mon garçon ! Il vient souper avec sa petite blonde.

« Il pète de bonheur. Il a retrouvé son fils. C'est indécent. Il m'énerve. J'ai pas le goût de cette visite, y a rien qui marche comme je veux, mais je dois pas m'enrager, ni gueuler. Non ! »

Robert s'assoit à la table pour terminer son petit-déjeuner. Il remarque sa mine renfrognée.

— Tu finis pas ton omelette.

— J'ai plus faim tout à coup.

— Mimi ?

— Quoi ?

— Tu m'as changé. J'étais un macho et maintenant je me sens un homme vrai. Je t'aime. Je suis presque heureux.

Elle lui fait un pâle sourire.

— Tu me dis ça quand je suis laide, pas maquillée, ni coiffée.

— Je te dis ça quand je le sens, et je le sens quand t'es vulnérable. Moi, les femmes fortes…

— Je suis pas forte. Si tu savais ! Je gueule fort pour cacher mon dedans qui est mou comme de la guimauve. J'ai l'air d'avoir peur de rien, j'ai peur de toutte, surtout que tu m'aimes plus. J'ai peur, si on fait pas l'amour, qu'on finisse par plus s'aimer du tout, qu'on s'éloigne l'un de l'autre. Si je tiens tant à faire l'amour, c'est pour être plus près de toi. Quand on le fait, on se chicane pas, je suis rassurée, je me sens bien. Mais si toi, ça te tente plus, c'est correct aussi, du moment qu'on se colle.

— Je vais reconsulter ma sexologue… avec toi. Veux-tu ?

Elle est si surprise qu'elle ne trouve rien à répliquer, elle s'agite pour dissimuler son malaise.

— Mon doux, j'ai oublié de préparer les biberons, et notre garçon qui vient souper avec sa première vraie blonde, pis ma repousse qui est pas faite. De quoi je vais avoir l'air ? Ce que je voulais me mettre sur le dos est au lavage. Qu'est-ce qu'on va manger ? J'ai rien.

— Ils vont manger ce qu'il y a. Cette fille-là va te voir toute naturelle, elle va te trouver belle comme moi je te trouve belle, ma poulette.

— Coudonc, as-tu quelque chose à me demander, toi ?

Robert avale ce qui reste de l'omelette de Mireille et, la bouche pleine, il chante: «Voulez-vous coucher avec moi ce soir… Voulez-vous…» Et il ajoute sur le même air: «Si ça marche tant mieux, si ça marche pas, on recommencera…»

Mireille éclate de rire. Elle apprécie le moment.

— J'aime ça, un peu de calme et de sérénité. Quand c'est doux entre nous. Comme là… Quand on se picosse pas.

— On est trop vieux pour changer. On est faites de même. Notre façon de communiquer, c'est le picossage, y a rien à faire.

— Si tu penses, Bob, que tu changeras jamais, moi, je divorce. Il est peut-être pas trop tard pour me trouver un homme qui va m'aimer comme je suis, qui cherchera pas à me battre dans tous les domaines, qui me donnera raison des petites fois…

— Tu sais pas ce que tu vas perdre.

— Je sais ce que je veux plus du tout. Je suis tannée qu'on se griffe comme deux chats sauvages. Je veux du calme!

Elle a repris son ton posé et son verbe bas.

— Ris, ris, Bob. T'as vu comme ça a pas pris de temps avec ton frère? Avec lui, j'aurais juste à lever le petit doigt… Mais c'est pas du sexe que je veux, c'est de la tendresse, et la tendresse c'est fait de petits gestes doux, pas de remarques blessantes qui me font sentir comme une moins que rien. Je suis sérieuse.

«Je dis ça pour le faire réagir. Je veux pas le laisser, je veux qu'il change. J'en peux plus qu'on soit à couteaux tirés, je veux de la douceur. Je suis devenue douce moi-même, qu'il fasse comme moi.»

La parole sensée de son amie Clara lui revient en tête: «On peut pas changer les autres, on peut que se changer soi-même.»

Pour le souper, pas de gros steaks, mais les restants du pâté chinois. Pour le dessert, juste une boule de crème glacée à la vanille dans chaque assiette, toute nue. Mireille s'est maquillée à peine, elle a ramené sa tignasse en queue de cheval sans avoir retouché sa couleur. Durant le repas, elle n'a pas relevé les farces plates de son mari, ne lui a pas coupé la parole ; elle l'a laissé parler. Elle n'a pas contesté chaque chiffre qu'il énonçait. Elle l'a beurré de compliments, elle a ri à toutes ses histoires, comme si elle les entendait pour la première fois. Elle a été curieuse mais pas trop du pays d'origine de Mia, le Vietnam. Elle l'a entourée de sollicitude. Ahuri par l'attitude de sa mère, Jonathan en a oublié de manger, et son père, déstabilisé, ne trouvait plus rien à dire.

Après avoir bu le thé vert et grignoté des petits biscuits secs, Mireille et la mini-Vietnamienne sont montées à l'étage pour préparer le bébé au dodo. Le père et le fils les entendaient rigoler, comme si elles étaient deux vieilles copines.

— Maman en a pris du bon.

— Elle est pas dans son état normal.

— Qu'est-ce qui lui prend d'être fine de même ?

— Ça durera pas. C'est pour impressionner ta blonde. Belle fille, en passant.

— Intelligente, ben plus que moi. Elle est à l'université en pharmacie. Une bollée.

— Tout un bébé !

— Non, p'pa, c'est une femme.

— Je vois encore clair. Tout un morceau, bien proportionnée de partout.

— P'pa, dans ton temps, les femmes étaient peut-être des morceaux, mais de nos jours les femmes sont nos égales. Je pense même que Mia, elle me dépasse d'un cran.

— Si on peut plus trouver une femme belle, astheure…

— Tu peux dire qu'elle est belle, c'est la vérité, mais pas que c'est un beau bébé et un beau morceau, c'est macho, ça.

— Bon. Ça a l'air que je fais honte à tout le monde.

— Non, c'est pas ça ! Fâche-toi pas.

Robert se lève, attrape ses clefs de voiture et, du patio, se dirige vers son auto dans l'allée.

— On peut se parler, p'pa !

Jonathan court derrière lui et le retient d'ouvrir la portière.

— Quand on se parle, on finit par se comprendre, nous deux. Tu m'as beaucoup aidé à me sortir de ma dépendance à la porno, je peux peut-être t'aider, moi aussi.

— J'ai pas de dépendance !

— Faut toujours que t'aies raison. C'est ça, ta dépendance.

Surpris du constat de son fils, il le pousse pour s'installer au volant de sa voiture. Jonathan en profite pour prendre place côté passager.

— C'est rendu que j'ai juste mon char où je suis tranquille.

— Comme moi quand je m'enfermais dans ma chambre.

« J'aurais répondu de même à mes parents que j'aurais reçu la strap. »

— P'pa, débarque ! Lâche ! Prends ça zen ! On dirait que si maman a raison une fois, tu vas perdre ta virilité puis tomber de ton piédestal.

— Ta mère s'arrange pour me pousser en bas chaque fois qu'elle peut. Elle veut l'avoir pour elle toute seule, le piédestal. Eh bien, je lui laisse !

— Tu me fais penser à moi quand je voulais rien savoir de personne. Tu vois, j'ai changé, et ç'a même pas été difficile. Il s'agit de voir où est son bien. Es-tu bien, p'pa, en ce moment ?

— Euh… Pas trop, non.

— Ben, si t'es pas bien, t'as juste à changer. Ça peut être le fun de changer. J'ai changé, pis je suis content.

Robert est troublé par la maturité de son fils.

— Je suis comme mon père, lui, c'était un vrai chef de famille. Il avait toujours raison. Il rentrait le soir après son travail, je te dis qu'on filait doux. Il avait juste à élever la voix, on rampait. On en avait peur.

— Ton père était-il heureux, tu penses, à jouer à l'ogre avec ses enfants ?

Robert réfléchit, ne sachant pas la réponse à cette question qu'il ne s'est jamais posée.

— J'aurais pas été bien avec un père comme le tien, qui avoue jamais ses torts.

Robert avale sa salive.

— Si un jour je fais des enfants, je vais essayer de donner raison aux autres, des fois.

Jonathan lui donne une pichenotte sur le bras, descend de la voiture et rentre dans la maison.

Robert bouge le rétroviseur pour se regarder. Il se trouve presque beau. Puis Mireille le rejoint sur le siège du passager.

— Je te cherche partout ! Qu'est-ce que tu fais ? Du boudin ?

Il la regarde et lui octroie un grand sourire.

— J'ai-tu l'air d'un gars qui boude ?

Robert la prend tant bien que mal dans ses bras, l'embrasse dans le cou. Elle le repousse légèrement en riant. Il insiste en lui caressant les seins, elle se débat et, soudain, il hurle de joie.

— Ça y est ! Ça y est !

Il attrape la main de Mireille pour la déposer sur son pénis durci. Elle lui dit « chut » et « attention, les voisins ». Ce qui l'excite encore plus. Il retrousse sa jupe, il baisse un brin son bermuda. Un coup est frappé dans la vitre. C'est Jonathan et sa blonde.

— On s'en va, là. Maman, je peux prendre des steaks pis ta sauce à spag dans le congélo ?

Les parents se rajustent, embêtés et rouges comme des tomates.

— Oui, oui.

Jonathan rit. Il aime que ses parents s'aiment.

39

Claude était si malheureux dans son couple qu'il a suivi le conseil de son père d'assister à un atelier de son groupe d'hommes.

Claude cherche à repérer Alain, l'ami gai de son père, qui lui en a fait la description. Puis il sent un regard insistant sur lui, ils se reconnaissent sans se connaître, se sourient. C'est au tour de Claude de prendre la parole. Il s'éclaircit la voix, intimidé.

— Je m'appelle Claude, je suis le fils unique d'Étienne, que vous connaissez. Je suis gai. J'ai demandé à mon père de s'absenter ce soir pour me sentir plus à l'aise de parler. Je suis pas dépendant à l'alcool, aux drogues, ni au sexe, mais à l'amour. Je veux être aimé, j'ai besoin d'être aimé et, dans mon monde de gai où le cul prend beaucoup de place, je trouve que c'est pas facile de trouver l'amour. Je sais ben que ça doit paraître ridicule pour les straights, un gai qui veut de l'amour, mais même les gais ont besoin d'affection.

Claude raconte par la suite sa relation avec Francis, leur passion du début, l'enfant adopté, leur cohabitation, les infidélités de son amoureux.

— Je veux qu'il me soit fidèle, il a fait des efforts, puis il a recommencé à me tromper. Il s'apprête à me quitter pour aller travailler et vivre à New York. Je ne sais plus quoi faire.

Claude arrête de parler, il réfléchit un moment.

D'un geste, Alain demande la parole. Le chef du groupe acquiesce.

— Je suis gai aussi. Selon mon expérience, y a deux sortes de gais, ceux qui baisent avec n'importe qui et ceux qui baisent toujours avec le même ou à peu près. Je m'explique… La première année qu'ils se mettent en couple, les amants sentent le besoin de protéger leur nouvelle relation ; ils sont fidèles. Après, ben, si on est certain de notre relation, si l'autre le veut, on peut s'accorder des distractions sexuelles de temps en temps. Ça compte pas, c'est juste du cul. J'ai eu un amant. Lui, il voulait copier le modèle de ses parents parce qu'il pensait que la fidélité était le seul moyen pour que le couple dure. Comme tu vois, Claude, t'es pas tout seul à penser que chaque couple doit décider de ce qu'il veut, et surtout le dire franchement. Claude devrait trouver quelqu'un qui a les mêmes idées que lui sur l'amour, pis ça devrait marcher. Il est juste pas avec la bonne personne. C'est ça que je pense. En tout cas, je suis libre pour prendre une bière avec toi, Claude, après notre réunion. Si tu veux profiter de mon expérience.

À la fin de la séance, tous viennent saluer Claude, lui donner la main et l'encourager à revenir aux ateliers. Alain s'approche.

— Alors, Claude, mon invitation ?

— Non merci, Alain, je dois aller chercher mon fils chez mes parents.

— Il va dormir, ton petit. Le transporter une heure plus tard, ça changera pas grand-chose dans sa vie. Je connais ça, j'ai été marié… avec une femme. J'ai deux enfants en garde partagée.

Claude se sent en confiance. Il a le goût de parler.

— J'ai faim. Il doit y avoir un restaurant pas loin.

— À côté, une rôtisserie portugaise. Du poulet sauce épicée pas mal bon.

Un gai qui a été marié, qui a deux enfants, qui recherche l'amour et est fidèle au moins la première année titille la curiosité de Claude. Et puis il se sent libre, car Francis est pour quelques jours à New York pour faire approuver son devis de maquillage. Surtout qu'il n'a même pas répondu à ses courriels ni à ses textos. En se dirigeant vers le restaurant, il téléphone à sa mère.

— Maman, j'irai chercher Gaby à la première heure demain. Merci, maman, t'es un ange. Bye!

Il raccroche et dit à Alain :

— Je l'ai pas laissée placer un mot, sinon il y aurait pas eu de fin.

Alain a le petit sourire du gars qui croit que l'affaire est dans le sac. Claude, qui devine ses pensées, le détrompe.

— Ça va me faire du bien de rester seul un soir chez moi.

Les deux hommes s'assoient à une des tables du fond, ce qui les met à l'abri des oreilles indiscrètes. C'est Alain qui commande des demi-poulets, beaucoup de sauce et des bières.

— J'ai deux filles, six et huit ans. Des moulins à paroles. Ça s'endort plus le soir. Je suis obligé de prendre ma grosse voix pour les faire taire : « Silence, les filles, sinon papa va se fâcher ! » Mais je me fâche jamais et elles le savent.

— Moi, le garçon que j'ai adopté au Vietnam a un peu plus de deux ans.

Puis Alain n'a de cesse que de lui raconter sa vie.

— Je voulais tellement pas être homo que je me suis marié en pensant me guérir, j'ai eu des enfants toujours en pensant me guérir. Mes parents étaient d'avis que l'homosexualité était une perversion, une maladie mentale, et que si on avait assez de volonté on pouvait s'en sortir. Dans l'idée de mes parents, le seul remède à cette maladie-là était le mariage. Je le croyais, moi aussi. Le mariage et les enfants ont jamais guéri mon homosexualité. T'es gai comme t'as les yeux bleus. Tu choisis pas ! Je me suis retrouvé à perdre une femme que j'aimais beaucoup. Heureusement, j'ai la garde partagée et le plus important est que je sois resté ami avec mon ex. J'aurais tout donné pour être hétéro, normal, comme tout le monde. Mais on refait pas sa nature profonde.

La serveuse dépose les deux plats et les bières sur la table. Ils ont faim et dévorent leur poulet rôti en silence, arrosant le tout de plusieurs gorgées de bière fraîche.

— Et ta nature profonde, Alain, est de coucher avec beaucoup d'hommes. C'est ça, ton problème, que mon père m'a dit, la dépendance au sexe ?

— Es-tu en train de me juger ? Tu me trouves dégueulasse ?

— Non ! Non. J'ai déjà vécu ça, cette frénésie de toujours vouloir baiser.

— J'ai les enfants une semaine sur deux. Je suis sage, cette semaine-là.

Claude ressent la tristesse d'Alain de ne pas voir ses enfants davantage.

Ils parlent d'eux pendant des heures. Ils ont remplacé les bières par le vin rouge. Alain verse ce qui reste dans leurs verres et, comme il s'apprête à commander une autre bouteille :

— Non, Alain. Une bouteille de vin à deux, ça me suffit, surtout avec les trois bières du début. C'est beaucoup pour un gars qui boit à peu près pas. Il est tard et je suis pas rentré chez moi.

Alain sort sa carte de crédit.

— C'est moi qui t'invite.

— Non, c'est moitié-moitié.

— D'ac. Tu vas vraiment rentrer chez toi après tout cet alcool ?

Claude sort son portefeuille.

— Je couche pas avec le premier venu. Souviens-toi, je recherche la continuité, l'affection, l'attachement, l'amour, quoi !

— T'es pas un vrai gai !

— Ce que je déteste des gars comme toi, c'est que vous classez les gais entre vrais et faux. Y a toutes sortes de gais et, ta sorte, je la supporte juste pas.

Claude laisse sa part d'argent sur la table et sort en vitesse de l'établissement.

Air narquois d'Alain, qui est d'autant plus excité par une proie difficile.

Ils arrivent à la voiture de Claude.

— Sérieux, t'es pas en état de conduire.

— Belle excuse pour que je couche chez toi.

— Un gars s'essaie…

Alain rit de bon cœur, Claude ouvre la portière de sa voiture.

— Je vais te déposer chez toi.

— D'accord. Je rentre me coucher. Tu vois, je suis en voie de guérison. Ton exemple m'aide.

— J'exige la fidélité, je suis tout seul aussi.

— Claude, je suis un sex addict. Je suis un excessif ou, si tu veux, un impulsif. Quand ça me prend, ça me prend. C'est comme la drogue.

— T'as du fun, au moins ?

— Même pas. C'est-à-dire que oui, y a du plaisir, mais ça vient avec la honte après. D'autant plus que je prends des risques dans les ruelles, les parcs la nuit. Je suis pas fier de moi après, je suis malheureux. C'est pour ça que je fais partie du groupe d'hommes. Pouvoir en parler me fait du bien. Je suis malheureux, Claude. Tu vois comme je suis mal pris.

— Étais-tu comme ça avant ton mariage ?

— Non. Toute mon énergie passait à mentir à mes parents, à ma femme. C'est plate en tabarnouche de te cacher des gens qui t'aiment, de toujours mentir. Quand j'entendais mon père sacrer après les maudites tapettes, penses-tu que je voulais l'être ? Plus tard, penses-tu que je voulais que mes filles apprennent qui j'étais ? J'ai été infidèle à ma femme les quatre ans qu'a duré notre mariage. Quand je lui ai dit que je couchais avec des hommes… Sa douleur ! Elle m'a accusé de l'avoir trompée sur mon identité. De l'avoir trahie. Quatre ans de mensonges, ça fucke son gars. Hé ! Pourquoi je te raconte tout ça ?

Claude est troublé par sa franchise, par sa confiance envers lui, un pur inconnu.

— T'es mieux de consulter des sexologues.

— C'est fait.

— Des psys ?

— C'est fait.

— Je peux rien pour toi. Moi-même, j'ai des problèmes. Gai et fidèle, c'est un problème, crois-moi.

— Je changerais ben mon problème contre le tien.

Ils se regardent. Claude est le premier à détourner les yeux.

— Je te reconduis chez toi. On se reverra si je décide de revenir aux séances du groupe.

— Tu me laisses au sauna coin Ontario.

— Je te reconduis chez toi. Sur quelle rue ?

— Prends Bleury. Je te dirai où arrêter.

— Non, non, je te laisse à ta porte. Même que je vais aller te border pour être certain que tu sortiras pas.

— Je peux me commander un amant à la maison comme on commande une pizza.

Claude se surprend de la piqûre de jalousie qui lui pince le cœur.

« Qu'est-ce qui me prend, tout à coup ? Je peux pas être jaloux ! »

— Non, non, j'irai pas te border. C'est niaiseux comme idée.

— On peut continuer à jaser à la maison. Tranquillement.

— J'ai pas peur, je suis un grand garçon capable de dire non.

— Tu vas me montrer comment on fait ça… dire non ? Tourne à droite. C'est la maison en pierre avec une porte noire, là. J'habite au deuxième.

L'auto s'arrête, Alain en descend et… Claude le suit, comme attiré par le danger. Et comme on lit dans les mauvais romans du XIXe siècle, ce qui devait arriver arriva.

40

Le cellulaire de Robert vrombit plusieurs fois avant qu'il le prenne et vérifie le numéro sur l'afficheur. Il se redresse d'un coup.

— Mimi, un appel du Mexique.

Elle dormait et il doit lui secouer l'épaule. Elle ouvre les yeux.

— Mexique!

— Allô, ma princesse?

— Donne-moi ça.

Elle lui arrache le portable.

— Je te pensais morte ou quelque chose du genre. Tu nous as jamais donné de nouvelles…

Robert reprend d'autorité son cellulaire.

— C'est papa! Est-ce que ça va, ma doudoune?

À l'autre bout, ce ne sont que des phrases hachurées, des hoquets, des sanglots. Puis Geneviève raccroche.

— Quoi? Qu'est-ce qui se passe?

— À ce que j'ai pu comprendre… notre fille revient demain.

Ils se regardent. Ils sentent que leurs beaux jours sont finis. Elle se lève, enfile son peignoir fleuri et marche de long en large dans la chambre.

— Elle me prend pour qui ? C'est toi, aussi, tu l'ap-pelles ta « princesse » depuis qu'elle est née, pas surpre-nant qu'elle nous prenne pour ses domestiques…

— T'as raison, je devrais pas l'appeler « princesse ».

Mireille, qui était sur sa lancée de reproches, s'arrête, vexée.

— Ah ben là. Si tu dis toujours comme moi astheure !

— Je dis pas comme toi, je te donne raison. Je me suis beaucoup trompé avec les enfants. J'ai tellement pas voulu les élever comme mes parents qui m'ont presque ignoré que je suis allé trop loin dans le sens contraire. J'ai voulu que mes enfants soient mes amis. Qu'on soit à égalité. Tu parles d'une erreur. Je les ai pas élevés, je les ai vénérés alors qu'un enfant, je le sais, caltor, ça a besoin d'enca-drement. J'ai fait pire que mes parents. Je me suis trompé.

— Je suis aussi coupable que toi. J'avais souffert d'avoir une mère autoritaire alors j'ai laissé ma fille tout faire à son gré pour qu'elle m'aime. Tu te souviens, à deux ans, je la laissais décider pour ses repas, son linge, même son heure du coucher. Elle me faisait des crises pour plein d'autres choses. J'ai fait avec elle tout ce qui fallait pas faire. Pis j'avais pas le goût d'être autoritaire. Je voulais la traiter en grande fille trop tôt. C'est moins forçant de céder à l'enfant que de chicaner après lui. Te souviens-tu ? Geneviève, je l'appelais la « reine de la danse du bacon », et Jonathan, le « roi des cris ». On finissait toujours par céder. Ti-Pit, on l'élèvera pas de même.

— C'est pas nous autres qui allons l'élever, c'est sa mère, pis tu vas voir, elle va être sévère, elle, pour pas faire comme nous autres…

— Elle va pas nous l'enlever ?

C'est un véritable cri du cœur qui atteint également Robert.

***

L'enfant de leur fille dort comme un ange dans le porte-bébé posé sur le torse de Robert. Le couple est dans l'espace des arrivées, aux aguets, observant tous ceux qui sortent des grandes portes. Mireille affiche sa mauvaise humeur, surtout devant les effusions des voyageurs et de leurs proches. Elle n'est pas contente du retour de sa fille.

— Elle a besoin d'avoir une bonne raison pour revenir.

— T'es pas contente qu'elle revienne!

— Toi, t'es content qu'elle reprenne le petit?

— Chut, Mimi, parle pas comme ça devant lui. Il paraît que les bébés, ils comprennent plus qu'on pense. C'est elle! Je l'ai vue, elle est juste après le petit maigre à casquette. Regarde, bébé, regarde, c'est maman!

Geneviève traîne une valise et porte un énorme sac de paille en bandoulière. Elle regarde partout, puis elle aperçoit ses parents. Elle court vers eux et se jette sur son fils. Elle tente de le retirer du porte-bébé, bien maladroitement. Son père défait les attaches et déroule l'étoffe. Elle prend son garçon si brusquement qu'il se met à hurler. Robert tente de le reprendre, mais Mireille s'interpose et remet d'autorité le bébé dans les bras de sa mère. Le petit hurle au point où un attroupement s'est formé autour d'eux. Certains croient à un enlèvement. Une dame crie «Police!» à répétition. Un homme sépare Robert de sa fille. Mireille leur crie de se mêler de leurs affaires. C'est la pagaille. Deux policiers de l'aéroport arrivent au pas de course pour ensuite les conduire tous les trois dans une petite salle où ils vont devoir s'expliquer.

***

Robert retrouve sa femme et sa fille à la table de la cuisine.

— Il dort.

Mireille examine sa fille qui boit un grand verre d'eau. Elle n'a pas parlé beaucoup dans la voiture, ni depuis qu'elle est entrée dans la maison. Mireille n'en peut plus de son silence, de son air renfrogné.

— Pis, toujours?

— Mimi, laisse-la arriver!

Geneviève prend une grande respiration. Elle aime leur attention et fait durer son plaisir.

— Je suis partie comme une vraie idiote. Je pensais juste aux plages du Sud. Hamac, couchers de soleil, pis les drinks exotiques. Je suis arrivée là, le bar-terrasse au bord de la plage était pas mal, mais j'ai dû travailler comme une folle du matin au soir... à servir du monde en vacances, du monde souvent malpoli, du monde qui avait pas d'heure. Dès la première semaine, j'étais épuisée raide. Pis la maudite mère de Filippo, un vrai tyran. Elle a travaillé comme un cheval toute sa vie, donc elle me trouvait paresseuse. Elle a pas cessé de me crier après.

— Pis lui, le père?

— Une mautadine de grosse erreur. Il était d'accord avec tout ce que sa mère disait.

— On en fait tous, des erreurs.

— Moi, j'ai fait une grosse erreur avec mon bébé... J'aurais dû me faire avorter. Je suis trop jeune pour prendre soin d'un enfant. Je veux pas retourner avec Filippo. Je veux pas retourner au Mexique. Je veux rester avec vous autres.

Mireille et Robert se prennent la main sous la table. Ils s'accrochent l'un à l'autre. Leur amour saura-t-il être suffisant pour faire face à cette situation ? Ne se sont-ils pas déjà dit souvent qu'ils s'aimaient pour le meilleur et pour le pire ?

41

La paix et le bonheur semblent s'être installés dans la maison jaune. Jean-Christophe et Charlène sont en vacances. Ce soir-là, tard, ils sont installés dans des chaises longues sur le gazon de leur cour arrière. Les enfants dorment.

— Charlène ?

— Oui, mon cœur.

— Finalement, c'est toi, la psychologue de la maison.

— J'ai que du gros bon sens.

— Non, non, c'est grâce à toi si on voit plus Caro en dehors des fois où elle vient chercher notre fils. Elle respecte vraiment ce que tu as proposé.

— C'est parce qu'elle est en amour…

On pourrait entendre voler un maringouin en mal de sang frais.

— Où est-ce que t'as appris ça ?

— Elle me l'a dit.

— Pour que tu me le dises.

— Non. Elle était si épanouie, tu l'aurais pas reconnue. Le grand amour, quoi. Pis pas avec n'importe qui. Un docteur, un spécialiste même, un chirurgien. Plus jeune qu'elle, un bel homme riche. Elle a mis des photos sur Facebook.

— Arrête !

Jean-Christophe a crié comme quelqu'un à qui on est en train d'arracher une dent sans anesthésie. Charlène s'attendait à une réaction, mais pas à un cri de détresse.

— Tu m'as juré que tu l'aimais plus.

Il ne répond pas. Il ne sait pas quel mot mettre sur ce qui se passe en lui. Elle enchaîne, sur un ton narquois :

— Ça doit être le syndrome du harem. J'ai lu dans tes livres de psychologie qui traînent partout que tant que l'ex n'a pas d'autres amoureux dans sa vie, l'ex-mari peut se donner l'illusion de posséder un harem. Ça serait le désir secret de tout homme. Quand l'ex-femme devient de nouveau amoureuse, alors l'ex perd sa chance de recoucher avec elle. Il perd son harem, façon de parler.

— Arrête !

— Pourquoi tu cries ?

Il se lève, il voudrait fuir l'affrontement. Elle l'attrape par le bras, le force à se rasseoir.

— T'es jaloux ! Tu l'aimes toujours ?

— Je t'ai pas trompée avec elle. Point à la ligne.

— Si t'es jaloux, c'est que tu l'aimes encore. C'est la preuve qu'on fait encore un ménage à trois.

— Je suis pas jaloux !

Et cette fois-ci, il fuit.

« Pourquoi je lui ai parlé du nouvel amoureux de son ex ? Par vengeance, et la vengeance est mortelle pour le couple… Alors que je veux si fort qu'il m'aime, je m'organise pour lui faire savoir que Caro en aime un autre que lui. Est-ce bien de la jalousie qu'il éprouve ou simplement du rejet, de la tristesse d'un amour terminé ? J'ai eu beaucoup de peine, moi aussi, quand je me suis séparée et que mon ex a rencontré une nouvelle femme. Je suis injuste, moi aussi, j'ai été jalouse. »

***

Jean-Christophe fait semblant de dormir. Le vieux truc pour éviter la discussion. Mais Charlène n'est pas dupe. Elle fixe un moment son dos nu et bronzé. Puis elle le force à la regarder.

— J'imagine que si mon ex tombait amoureux d'une autre fille, ça me ferait un petit quelque chose à moi aussi.

À la mention de l'ex de Charlène, plus jeune et plus beau que Jean-Christophe et surtout tout en muscles, le petit démon vert sort sa langue pointue et pique son amour-propre.

— L'aimes-tu encore… ton six-pack ?

— Quand on a aimé une personne, il reste toujours une certaine tendresse.

— T'as toujours dit que c'était un fou !

— Un fou de moi. Il m'aimait… Entre nous, c'était que de la passion. Mais c'était pas un père. Quand il a su que j'étais enceinte, il a insisté pour que j'avorte. Ça veut pas dire qu'il a pas de qualités. Y est pas compliqué, lui…

— … pas compliqué comme moi !

Plutôt que de calmer la crise, elle a jeté de l'huile sur le feu.

— J'ai aimé ma première femme. C'était mon premier grand amour…

— Retourne donc avec elle !

— On va pas recommencer ça. Tu le sais que je retournerai pas avec elle parce que je t'aime, toi.

— C'est tout ce que je voulais… être rassurée.

251

S'ensuit une accalmie, comme celle, lourde et silencieuse, entre deux orages. Jean-Christophe l'entoure de ses bras, l'embrasse. Faire l'amour sert souvent à dévier une altercation. Charlène n'y est cependant pas réceptive. Elle le fixe dans les yeux.

— J'ai quelque chose à te demander, chéri.

— Demande-le pas!

— Après ta séparation, as-tu couché avec Caro?

— Non.

— Moi oui, avec Jules…

— Pourquoi tu me le dis?

— Parce que en amour on se dit tout.

— Non, non, on se dit pas tout, et surtout on pose pas des questions qui mènent aux mensonges. Chacun a droit à son jardin secret.

— Donc t'as couché avec elle après votre séparation?

— C'est assez!

— Je supporte pas le mensonge. Moi, j'ai dit la vérité, dis-la.

— C'est pas nécessaire de tout confesser à son conjoint. Ça tourne toujours mal…

— Surtout quand on a des choses à cacher.

— C'est un signe de maturité de pas tout se dire. Qu'est-ce qu'on veut, nous deux?

— Être heureux!

— Tu vas être heureuse si je te dis que j'ai croisé une fille sublime et que j'ai eu du désir pour elle, ou encore que j'ai baisé en rêve avec Beyoncé?

— C'est vrai?

— C'est un exemple! Dans mes livres que tu lis en cachette, c'est écrit que pour que l'amour dure il faut garder un certain mystère…

— Je pensais, moi, que je pouvais te poser toutes les questions…

— Non, il faut savoir avant de poser une question si on est capable de gérer la réponse, et où la réponse va mener ton couple.

— Mais qu'est-ce qu'on va faire ? Se faire confiance ?

Elle le dit comme si c'était pour elle la pire des solutions.

— Oui. Faut se faire confiance. Sans ça, on va passer notre temps à être hantés par la peur d'être trompés. On va imaginer des scénarios, surveiller les regards, les gestes. On va s'espionner sans arrêt. C'est pas ça, une vie de couple. On se fait confiance et on vit. C'est pas en soupçonnant des infidélités qu'on les empêche d'arriver. C'est plus positif de travailler à son couple que de passer sa vie à avoir peur qu'il se termine par une tromperie. Dans la vie, faut pas passer son temps à craindre une chose qui arrivera peut-être jamais.

— O.K. d'abord. Je te fais confiance et on en parle plus.

— Je te fais confiance et on en parle plus.

Ils restent enlacés de longues minutes, chacun dans leurs pensées, puis :

— Ton ex, Jules, était-il meilleur que moi au lit ?…

42

Samuel est chez ses parents en Abitibi pour quelques jours. Magali n'aime pas être seule. Pour s'occuper, elle a passé plusieurs heures chez son esthéticienne. Massage aux pierres chaudes, épilation, les mains, les pieds, le bikini, sablage du corps aux algues, soin pour le visage.

« Bon, qu'est-ce que je vais foutre après… pas encore faire les boutiques? Peut-être revoir les bonnes copines que j'ai négligées depuis la mort de papa et l'héritage. »

Après avoir acquitté sa facture, elle s'installe dans le petit salon du salon d'esthétique outremontais. Une employée toute de blanc vêtue pose une tisane et des fruits sur le guéridon à son intention. Magali fait défiler des noms sur son cellulaire. Un tour très court.

« Bof! Pas le goût de les relancer. J'ai perdu mes amies. Pas normal de pas avoir d'amies avec qui je pourrais vraiment parler, pas juste avoir du fun, boire et rigoler pour des niaiseries. »

Magali appuie sur une touche qui l'amène directement au cellulaire de Clara, son unique amie.

— C'est Magali, votre presque fille.

— Ah, bonjour, ma belle.

— J'ai quelque chose à vous demander. Je vous dérange pas, toujours?

— Ben…

— J'entends du bruit. Vous êtes où, là? Au centre d'achats?

— C'est les poules. Je nettoie le poulailler.

— Vous travaillez tout le temps. Vous devriez prendre ça mou plus souvent.

— Les gens qui travaillent sur une terre ont pas souvent congé. Même pas les jours fériés. Ça peut pas attendre, ce que t'as à me demander? Je suis dans la merde, c'est le cas de le dire.

— Ouin.

Clara reconnaît ce « ouin » de petite fille en quête d'attention.

— J'enlève mes gants, je sors du poulailler et je t'écoute, ma grande.

En fait, Magali n'a rien à demander. Elle veut juste entendre des mots affectueux comme « ma belle, ma grande ». Des petits noms auxquels elle n'a pas eu droit durant sa petite enfance. Magali lui pose la question qui l'inquiète pour le moment.

— Je me demandais pourquoi j'ai plus d'amies de filles.

— Les femmes – contrairement aux hommes –, quand on est en amour, on a d'yeux que pour l'être aimé. Les hommes, c'est le contraire, ils gardent leurs chums de gars. C'est dommage, car… Es-tu là, Magali?

Des bruits bizarres parviennent à l'oreille de Clara.

— Magali?

— C'est mon ventre, excusez-moi.

— Ah? Viens-tu de déjeuner?

— Rien mangé pantoute. Ça rentre pas.

— As-tu trop fêté hier soir?

— Sam est parti visiter ses vieux en Abitibi. Quand il est pas là, je fête pas, j'attends.

— Va manger une petite soupe aux légumes. L'estomac te tiraille parce qu'il a faim.

— C'est pas que je digère pas, le cœur me lève tout le temps, le matin surtout.

— Depuis quand?

— Un mois, je dirais.

— Quelle sorte de mal de cœur?

Le ton de Clara a changé.

— J'ai jamais ressenti ça. Ça commence le matin dès que je sors du lit, c'est comme si mon cœur flottait pis, quand l'heure vient de manger, j'ai pas faim. L'odeur, la vue de la nourriture me donnent la nausée.

— T'es enceinte, ma grande!

— Hein? Non! Moi, ça? Non, voyons!

— En tout cas, t'en as les symptômes. Le mal de cœur arrive en général au premier mois. J'ai eu ça pour mon fils. Ça a ben duré deux mois...

— Sam met tout le temps un condom.

— Un condom, c'est bien, mais c'est pas sûr à cent pour cent. La pilule, c'est mieux. Tu devrais demander à ta gynécologue... il y a plusieurs marques...

— Nos relations sont toujours protégées, j'y veille. J'ai ben trop peur des maladies. Pis Sam, il m'a déjà trompée...

— Un condom, ça se perce, ma belle... Ça glisse, ça s'oublie.

— Je suis pas enceinte! Ça se peut pas. Pis je veux pas.

Clara n'insiste pas.

— Je peux me tromper. Va acheter le test à la pharmacie.

— Je raccroche. Je vais vomir.

Magali court vomir dans les toilettes attenantes au petit salon rose.

Elle vomit ses tripes, puis elle reste par terre, près de la cuvette.

— Non, non, je veux pas. Pas tout de suite. Je veux pas, bon !

Au bout de cinq minutes, elle entend la sonnerie de son cellulaire, qu'elle avait laissé sur le rebord du lavabo. Elle se lève, se nettoie le visage, avale de l'eau du robinet et, voyant le numéro de Clara, répond.

— Oui, Clara…

— Pour en avoir le cœur net, achète deux tests de grossesse. Pas un, deux ! Je te connais, tu croiras pas le premier. Tu m'appelles pour le résultat.

— Je sens comme une petite faim. C'est normal ?

— Pas de café, pas d'alcool, une toast pas beurrée, un thé léger, une banane…

— Je suis pas enceinte, hein, Clara ?

La voix de Magali implore Clara de lui mentir.

— Courage, ma belle fille.

43

— Et pis, les tests ?

   — Négatifs.

— Les deux ?

— Oui.

   — Prends ta belle voiture, puis viens me les montrer.

   — Vous me croyez pas ?

— Non.

Le « non » est tendre, mais non négociable. Clara connaît sa jeune amie, son insécurité émotive, sa peur profonde de devenir une « mère ».

   — Je sais que tes tests sont positifs.

   — Ah oui…

   — Viens à la maison, je suis seule pour la fin de semaine, Étienne aide Claude à se construire un cabanon.

   — Si je vous avais pas…

   — Tu m'as !

***

La journée est radieuse. Il n'y a aucun nuage dans le ciel, une chaleur douce enveloppe la nature qui explose. Clara s'est levée tôt par habitude et sirote son café sur le banc de parc qui longe le potager. Le soleil réchauffe ses vieux os. Elle est bien.

« Que c'est beau, ces légumes gorgés de soleil. Que ça sent bon, toutes ces fines herbes à maturité. Je suis chanceuse de pouvoir me gaver de tant de splendeurs. Je croque la vie à même les petits fruits et les légumes que je fais pousser sans pesticides et j'en fais profiter les gens que j'aime. C'est ça, le vrai bonheur ! Me priver du plaisir que la nature me procure, ce serait un gros sacrifice. Qu'est-ce que je veux pour mes vieux jours : faire ce qui me plaît ou faire plaisir à Étienne ? Est-ce que je veux vivre seule ou avec lui ? Sa dépression, ses absences à Montréal m'ont prouvé que je peux me débrouiller sans lui. Pas de discussions sans fin, pas de reproches, de bouderies. Juste le calme, la grosse paix. C'est bête pareil qu'Étienne veuille plus de la ferme. Maudite thérapie ! Dire que c'est moi qui le poussais à voir ce psy, et ça se retourne contre moi. Étienne veut plus de moi. Moi, je représente la campagne, le potager, la vie dans un rang, la tranquillité plate et beaucoup de travail aussi. Il veut plus de ça, donc il veut pas de moi. Je pensais avant que j'étais dépendante de lui, que s'il partait c'était la fin de ma vie. Je me suis rendu compte que je pouvais vivre sans lui certes, mais… je suis mieux quand il est là. Je l'aime, merde ! Je suis bien avec lui. Sa présence me rassure, me console. J'aime l'aimer, le chouchouter, l'écouter, le caresser. Je veux plus penser. J'en ai assez de me torturer avec l'épée de Damoclès au-dessus de ma tête. De toute façon, c'est qui, ce Damoclès ? Je le connais même pas. Tiens, la Mercedes de Magali. Elle va me changer les idées. »

Clara se précipite pour accueillir sa jeune amie. Elles s'embrassent, puis elles se font un long câlin, et encore plus pour se savourer davantage. Elles entrent dans la maison. Clara entraîne Magali vers son armoire qu'elle ouvre et lui montre ses achats faits à la pâtisserie. Des tartes au sirop d'érable, des brownies, des scones.

— On va prendre une brosse de sucre.

— Le sucre, c'est ce qu'il y a de plus proche de l'amour.

***

Plus tard, elles sont dans la balancelle.

— Si ça te donne mal au cœur, on arrête le berçage.

— Pourquoi je suis pas contente d'être enceinte… comme au cinéma?

— Tu sais, ma belle, c'est pas toutes les femmes qui rêvent de maternité. Je le sais, ma mère voulait pas d'enfants. Je suis un accident. Pour elle, la maternité, ça voulait dire corvées, routine, ennui, renoncement au plaisir, à la carrière surtout. Elle m'a dit un jour qu'elle aurait aimé être stérile. Mon père, lui, regardait les femmes enceintes avec dédain. Il aurait voulu que les femmes se cachent le ventre ou restent à la maison. Tu es, Magali, de la génération où les femmes montrent leur gros ventre. Mieux, elles l'exposent comme le signe ostentatoire de leur supériorité sur les hommes. «Moi je suis capable! Lui est pas capable.»

— Quand j'aurai un enfant, je l'aurai désiré, planifié. Je veux planifier le moment de sa naissance. J'ai déjà eu un avortement il y a presque deux ans, vous vous rappelez, et j'ai bien vécu ça, car même si le bébé était de Sam, je voulais pas être une mère. J'avais mes études de notariat. J'étais pas prête. Est-ce que je le suis maintenant? Ça devrait aussi bien aller pour le deuxième avortement. Je vais aller à la même clinique.

261

— T'as encore le temps d'y réfléchir. Samuel en veut, lui, des enfants ? Cette fois-ci, il a le droit de participer à cette décision. Si je me souviens bien, il t'en a voulu d'avoir pris seule la décision de te faire avorter.

— Oui, il était furieux. Mais je voulais pas me déformer le body…

— Trouve une meilleure raison pour te faire avorter.

— Ce bébé-là s'impose à moi. Je veux pas qu'on m'impose quoi que ce soit. Surtout que maintenant j'ai plein d'argent, je veux voyager pis m'offrir tout ce que je veux.

Clara ravale sa salive, découragée par de tels propos.

— Je comprends très bien que tu sois surprise, désappointée même, mais le fœtus est là. Et c'est toi et Samuel qui l'avez mis là. C'est l'enfant de l'amour !

— D'un condom percé.

Clara envie cette liberté qu'ont les jeunes de parler librement de sujets intimes.

Magali sort de la balancelle.

— Je vais me faire avorter.

— Même si l'avortement est légal, ça reste un geste grave auquel il faut réfléchir. La seule raison de te débarrasser du fœtus qui vit en toi, c'est que tu veux un enfant que tu auras planifié. C'est-tu ça ?

— C'est important pour moi, la planification, je suis fille de notaire, j'ai fait des études en notariat… que j'ai abandonnées, mais bon.

— Y a des bonnes raisons pour avorter et des moins bonnes. Les tiennes sont ridicules.

— Chicanez-moi pas, Clara.

— Tu veux que je dise comme toi ou que je t'aide à prendre une décision ?

— J'ai accepté votre invitation pour que vous me preniez dans vos bras, pour que vous me berciez. Sans me juger !

Magali éclate en sanglots. Clara lui ouvre les bras. Magali revient dans la balancelle et elles restent enlacées ainsi, comme mère et fille. Après un long moment, Clara se détache, le devant de sa chemisette de coton est mouillé des larmes de sa protégée.

— Pourquoi je le garderais ?

— Parce que…

Clara cherche pendant un moment. Elle voudrait tant trouver les bons mots.

— Hein, pourquoi je le garderais ?

— Au début, avec Étienne, j'étais si amoureuse que je voulais pas qu'un enfant vienne troubler notre duo. Et puis, au bout de cinq ans, Claude est né. C'était pas une perte, c'était un ajout. Notre duo est devenu un trio. On a été heureux jusqu'au moment où Étienne l'a rejeté parce qu'il était gai. Heureusement que notre famille est de nouveau réunie, avec en plus un petit-fils.

— Bien moi, ce que je vois autour de moi, ce sont des couples qui se séparent après la naissance du bébé. Je veux pas perdre mon amoureux pour un enfant que je connais pas. Et pis y a la grossesse. Je vais devenir une baleine comme ma mère l'a été. Je pourrai plus me regarder dans le miroir.

— Mais non, tu vas être très fière de ton œuvre. C'est pas rien, faire un enfant.

— Je le sais plus, Clara. Je sais plus rien. Plus rien pantoute.

Et elle se réfugie à nouveau dans les bras de Clara.

44

Ce matin, après avoir conduit Lulu à l'école, Nicolas dépose Nancy à l'hôpital, elle doit voir son chirurgien oncologue pour un rendez-vous de contrôle. Il l'attend dans l'auto, sa maison sur quatre roues, le seul endroit où il se sent chez lui, seul avec ses pensées.

« Mutilée. Déformée. Mutilée. Déformée. Ma Nancy si belle, si séduisante, si sexée, a maintenant deux larges cicatrices à la place des seins. Mais qu'est-ce que je vais faire de mes mains quand on va faire l'amour ? Si jamais je fais l'amour avec elle. Je vais m'habituer, je vais passer par-dessus, je vais me fermer les yeux, m'arranger pour pas toucher là où il y a quelque temps il y avait deux superbes globes haut perchés et d'une fermeté douce et voluptueuse. Terminées les caresses. Terminé l'amour. »

La tête sur le volant, il pleure enfin ! Il s'est conduit en superhéros avant, pendant et après l'opération, mais là, seul dans son auto, dans l'immense stationnement de l'hôpital, la déception, la peine, les émotions refoulées sortent comme une rivière déborde de son lit lors d'un embâcle.

« Je suis un homme normal. J'aime les seins, ça m'excite, les seins. Plus ils sont gros, plus ça m'excite, et Nancy en a plus, pire, elle a des balafres sur la poitrine que j'ose pas regarder, encore moins toucher. Pourquoi c'est à moi que ça arrive ? Ça allait si bien entre nous. Pourquoi moi ? »

Nicolas pleure sur lui, sur son malheur. S'il pouvait, il se prendrait dans ses bras pour se consoler.

« Et si je la désire plus ? Et si je bande plus ? Et si, et si… j'ai plus de libido, de sexualité ? Une vie de couple sans sexualité… »

On frappe à sa portière. Il n'entend rien.

— Nicolas !

Nancy frappe si fort qu'il finit par réagir et lui ouvre en camouflant ses larmes et en se mouchant bruyamment. Elle le rejoint.

— Nicolas, tu pleures !

— Je pleure pas, je dois faire une allergie. Tout va bien.

— Chéri, tu peux pleurer, tu sais.

— Je pleure pas !

Il démarre l'auto. Elle sait que, pour lui, pleurer est une faiblesse. Elle n'insiste pas. Ils parlent de tout et de rien pour enterrer la vérité.

Avant de partir pour se rendre à son restaurant, il vient l'embrasser.

— Ne m'attends pas. Je rentre tard. Faut que tu te reposes, c'est primordial.

— Notre couple aussi, c'est primordial.

— Il est pas en danger.

— J'ai beaucoup réfléchi. On est pas mariés, ce serait facile de se séparer et vivre chacun de notre côté avec la garde partagée de Lulu.

— Je te défends de parler de ça. Il en est pas question.

— Tu auras pas l'odieux de quitter une femme mutilée, c'est moi…

— Tu vas m'arrêter ça !

« Est-ce que je l'aimerais moins si on lui enlevait les testicules à cause d'un cancer ? Les couilles sont pas l'objet d'un culte, tandis que les seins… »

Elle le rejoint dans l'entrée, résolue à aller plus loin.

— Je veux parler de notre vie, Nicolas, de notre vie sexuelle.

— C'est pas le bon timing. T'es encore en convalescence.

— Ça m'inquiète pour plus tard, quand je serai mieux.

— Étape par étape. Guéris d'abord. Bon, je dois y aller. On devrait plutôt envisager de partir en vacances.

Il l'embrasse légèrement, n'osant pas trop la toucher. Elle détourne ses yeux qui s'embuent.

***

Quelques jours plus tard, conseillée par l'infirmière-pivot, Nancy rencontre des femmes mastectomisées qui, chaque semaine, échangent sur le deuil à faire de leurs seins. Elle écoute sans oser poser de questions. À la fin de la réunion qui s'est terminée sur le sujet de la reconstruction mammaire, une femme enrobée et voluptueuse malgré son torse plat et son gros ventre raconte d'un ton amusé :

— Nos ventres paraissent plus gros quand les seins sont plus là pour faire l'équilibre.

Elle aborde Nancy :

— C'est ta première fois ici ?

— C'est Claudia, l'infirmière-pivot, qui m'a dit que je pourrais… Je venais pour… Est-ce que c'est arrivé de parler entre vous de ce qui se passe après la mastectomie… dans le couple ?

— Le sexe, tu veux dire?

— Oui…

— Tabou! Tabou! Tabou! Il y a que moi qui ose en parler. Je passe pour une cochonne. Nos docteurs en parlent pas, les infirmières non plus. Ben moi, je suis passée par là et j'en parle. Écoute, je meurs de faim, tu viens avec moi à la cafétéria?

Nancy est happée par la vitalité de cette femme qui, d'autorité, lui prend le bras pour l'entraîner aux ascenseurs. Elles ne s'étaient pas encore présentées que déjà elles sont complices. Nancy apprécie son franc-parler.

— Moi, je suis une gourmande de tout: la bouffe, le cul, toutes les bonnes affaires. Ça fait que quand on m'a charcutée il y a trois ans, j'ai capoté ben raide. Avec mon mari, avant l'opération, on faisait l'amour tous les jours de la semaine, pis la fin de semaine on se bourrait, on mangeait puis on fourrait, puis là, ben, après l'opération: patate. Pas de seins, pas de fun! Je me suis dit: «Marguerite, c'est pas parce que t'as perdu deux pétales que t'es plus une fleur.» C'est pour ça que je viens rencontrer les nouvelles opérées. Je suis passée par là, tu comprends. J'ai du recul. C'est un genre de bénévolat. Tu travailles, Nancy?

— Oui, je suis pédiatre.

— Madame docteure, on rit pas! Puis tu me demandes conseil! Wow, quand je vais dire ça à mon mari: «Ta femme, elle conseille même des docteurs.» Donc tu soignes les petits enfants.

— Oui.

— Je suis impressionnée. Moi, je suis chauffeuse d'autobus scolaire… pour les enfants. Tu vois, on fait le même métier, pratiquement, on est pareilles.

Nancy ne se sent pas du tout pareille à Marguerite, mais elle reste polie.

— On est tous égaux dans la maladie.

— On est tous égaux tout nus dans le litte.

Nancy rit de bon cœur.

— Qu'est-ce que je peux faire pour toi, madame docteure?

— Euh… C'est un peu délicat.

— Shoote. Tu veux savoir comment ça marche dans le litte quand on a pas de seins?

— Euh, non… Je veux savoir si les hommes arrivent à désirer une femme qui est amputée de ses seins.

— T'as peur que ton mari te lâche parce que t'as plus de boules?

— Je sais qu'il me lâchera pas, mais moi, s'il me désire pas, je vais partir. Je pourrai pas le supporter…

— Wooh… Pars pas en peur, Nancy! Ton chirurgien, il t'a pas parlé d'une reconstruction avant de t'opérer?

— À ce moment-là, je voulais pas, c'était trop… Et à ce moment-ci, je veux pas retourner sur la table d'opération et, de toute façon, même si j'avais les seins reconstruits, je n'aurais plus de sensations, il paraît.

— L'organe sexuel le plus important, c'est le cerveau!

Malgré cette vérité, Nancy n'est guère rassurée.

— Marguerite, pourquoi t'as pas opté pour la reconstruction?

— Parce que moi, j'avais assez d'avoir le cancer, je voulais pas deux chirurgies en si peu de temps. Je l'ai remise à plus tard, après j'ai attendu pour me décider, pis finalement je me suis habituée à coucher avec des tops en soie et en minou que j'achète dans les sex-shops, pis j'enlève le bas. Je mets l'accent ailleurs, tu comprends?

— Vous faites l'amour ?

— Pas aussi souvent parce qu'on a vieilli, mais trois ou quatre fois par semaine. Pis des fois la fin de semaine, le tour du chapeau.

— Il te désire, ton mari ?

— Pas au début. Mon mari, c'est un ours. C'est un costaud, six pieds deux, deux cent quatre-vingts livres. Il a les mains comme des pattes d'ours. Il avait peur de me faire mal en me touchant. Faque il me touchait pas. T'as assez d'avoir le cancer, si en plus personne te touche ! Les jours passaient, pis les semaines. On se donnait un petit bec, pis dodo. Une nuit que le corps me bouillait, j'ai relevé ma nuisette, je l'ai enfourché, je lui ai mis les mains sur mes fesses et je lui ai dit : « Imagine-toi que c'est des seins ! » Depuis cette nuit-là, on est redevenus amants. Tu sais, ton gars, il a aussi peur que toi. Il a peur de te faire mal, peur de pas y arriver. Il sait pas par quel boutte te prendre, ça fait qu'y fait rien. En prenant l'initiative, tu lui ôtes son stress. Pis les hommes, ça les excite, une femme qui les monte.

Nancy est étonnée de la crudité de Marguerite, mais elle ne perd pas un mot.

— Câline de bine, deux heures ! Mon mari m'attend dans le parking. À la semaine prochaine, Nancy. T'as pas l'air de ça !

— D'une mastectomisée ?

— Non, d'un docteur.

Marguerite quitte la cantine en coup de vent, sous le regard amusé de Nancy qui a un peu repris espoir. Elle ressent une légèreté, et c'est nouveau comme sensation.

Une heure plus tard, sourire aux lèvres, elle ramasse Lulu à la sortie de l'école.

— Allô, mon trésor!

— Allô, maman.

— J'ai le goût d'un gros cornet de crème glacée molle trempée dans le chocolat. Toi?

— Yes!

Lulu comprend illico que la situation vient de changer. Les enfants savent tout très vite. Il n'aurait pas les mots exacts, mais il sent que sa mère adoptive vient de faire un grand pas vers l'acceptation de sa condition.

***

Au retour de son travail, vers vingt-trois heures, Nicolas trouve une Nancy pétillante, dans une pose aguichante. Elle porte une robe de nuit coupée court de manière à laisser voir ses belles longues jambes. Ses cheveux flottent en boucles sur ses épaules. Elle a refait ses ongles d'orteils, elle s'est enduit les jambes de crème au parfum de fleurs. Dans la chambre, des chandelles sont allumées.

— Qu'est-ce qui se passe ici?

— Rien de spécial.

— T'es belle.

— Je sais.

Il ne comprend pas. Il a laissé le matin une femme dépeignée, en savates et habillée de mou, et il retrouve ce soir une femme séduisante, fatiguée certes, mais pleine de vie. Ils se rapprochent. Il y a des baisers profonds et des caresses qui se cherchent, mais pas d'érection.

45

Il est vingt heures. Mireille rentre du travail. Grand tablier autour de la taille, Robert réchauffe sa part de lasagne à la viande au micro-ondes.

— Allô, ma femme ! Ton souper est prêt !

— Je sais pas ce qu'elles ont toutes, mes madames. À la fin de l'été, elles veulent changer de coupe, de couleur. Comme si changer les cheveux, ça changeait leur vie.

— L'été est fini, l'hiver s'en vient. On veut recommencer à neuf, je comprends ça, moi, le changement.

— Tu veux recommencer à neuf, toi ?

— Oui.

— Me changer pour une autre, on sait bien… une plus jeune, plus mince.

— Non, non, toi t'es parfaite, c'est moi…

— Tu veux te changer pour un plus jeune, un plus mince.

— C'est pas ça que je dis.

— Mais dis-le, ce que tu dis !

— Écoute, Mimi, j'ai eu une dure journée. T'as peut-être pas remarqué, mais j'ai lavé le tapis du salon, je me suis occupé de Ti-Pit, puis j'ai aidé Gen à faire sa chambre, je suis allé la conduire chez une de ses amies et j'ai fait les commissions avec le bébé, il a bu un gros biberon et je l'ai endormi.

— Elle est pas restée à la maison avec son bébé?

— C'est tout juste si elle lui a jeté un œil, fallait qu'elle voie ses amies de filles.

— Ça se peut pas. Ç'a beau être une fille de dix-sept ans…

— Dix-huit.

— Faut qu'elle prenne ses responsabilités. Elle a un enfant. Si elle est assez vieille pour faire des enfants, elle est assez vieille pour en prendre soin ! J'en peux plus, moi, là, je vais péter au frette. Je me fais emmerder par mes bonnes femmes toute la journée pis, le soir, c'est les troubles avec nos deux enfants.

— T'exagères. Jonathan va bien, il continue ses études, sa petite blonde la bolée l'influence. Il a une jobine.

— Oui, il est sur la bonne track, mais il vient toujours manger ici. J'ai mon voyage de Geneviève ! Mon crisse de voyage !

Le téléphone sonne. Elle décroche, prête à mordre.

— Geneviève, tu t'en viens tout de suite. Parce que c'est ni moi ni ton père qui va se lever pour le petit cette nuit. Puis tu te trouves un appartement. Et je t'avertis que je prendrai pas soin d'un petit. Je veux récupérer ma vie. Hein? C'est Clara? Oh, excuse-moi, pardon. Oh, Clara…

Robert lui fait signe de lui donner le téléphone.

— Excuse, Mimi. Elle est dans la queue de sa méno-pause… C'est moi maintenant qui va chercher le panier… C'est ça, à jeudi, Clara !

Robert raccroche en retenant son envie de rire, mais il s'abstient vu la mauvaise humeur de sa femme.

— Je vais décompresser avant de manger. Je vais m'étendre dans le salon. Je prendrais une bière froide.

— Tout de suite, boss !

Docile, Robert accomplit le service de la bière dans un grand verre et la lui apporte au salon.

— Merci.

— Bienvenue.

— Bob, notre vie a pas de maudit bon sens.

— Mais c'est notre vie.

— Notre couple a pas de bon sens. C'est moi, la femme, qui gagne la vie, toi qui tiens la maison.

— Oui pis ?

— C'est pas normal.

— Chaque couple a sa propre dynamique, comme dit Clara. Nous deux, on a des enfants qui sont partis et qui sont revenus. Un qui va mieux, mais qui a encore besoin de nous, l'autre qui arrive pas à passer à l'âge adulte. Un mari qui a pas de job et qui en cherche plus vraiment. Une femme qui aime pas être ménagère et qui adore travailler à l'extérieur.

— Je chicane après mes madames, mais je m'en passerais pas. Je me sens utile, je les mets belles, pis en plus elles ont une place pour se réunir chaque semaine et papoter. Un salon de coiffure de quartier, ça sert à ça, je suppose, une place où rencontrer du monde. Ce serait correct si le soir on pouvait penser juste à nous autres, mais, non, il y a notre plus vieux, notre fille et Ti-Pit.

— C'est pas toi qui t'ennuyais à mourir quand ils ont quitté la maison, toi qui t'es jetée sur moi pour compenser ?

— C'était pas pour compenser !

— Si t'es franche avec toi-même, minou, tu sais très bien qu'on a plus vingt ans, que le sexe, ça peut plus être comme avant. On a plus rien à se prouver. On s'aime, c'est toutte. Pis on attend pas de faire l'amour pour se le montrer.

— Le deuil de la couchette, je suis pas capable de le faire.

— Ben oui, t'es capable. Ça veut pas dire qu'on fera plus jamais l'amour, ça veut dire qu'on le fera plus dans la performance, mais dans le plaisir, juste le plaisir, les fois que ça va nous tenter nous deux.

— Tu veux dire quoi par là?

— Que pour moi, le désir, c'est plus une affaire commandée par les magazines, c'est quelque chose comme un soleil. Des fois il est là, des fois il est pas là. On en profite quand il est là pis, quand il est pas là, on se colle tous les deux pour se réchauffer et c'est aussi bon.

— Si je comprends bien…

— La pression, en vieillissant, je la supporte plus. Tu vois le tapis du salon, tant que tu m'as achalé pour le nettoyage, je l'ai pas fait. Tu me le demandes plus, j'ai le goût de le faire, mais dans mon timing.

— Tu me désires plus.

— Avant, quand j'étais jeune, j'attendais pas d'avoir faim pour manger, je m'envoyais un hamburger trois étages pis deux frites, juste avant de souper. Astheure, quand j'ai faim, je pense à ce que j'ai le goût de manger et j'ai hâte que t'arrives pour déguster.

— Arrête, je vais sauter sur toi…

— Pis moi, ça va me faire fuir ben raide.

Elle le regarde, surprise. C'est la première fois qu'il lui parle de lui.

— Tu vois, minou, depuis que j'ai plus la pression du vendeur, je me sens un nouvel homme. Plus de pression. Quand mon père est mort, comme j'étais le plus vieux, c'est moi qui suis allé travailler pour faire vivre ma mère et mes quatre sœurs. J'en ai eu, de la pression. Quand on s'est mariés, il fallait le bungalow et après la piscine, et les deux chars. Là, je m'aperçois qu'on a tout ça, que là où je suis le plus heureux, c'est ici à la maison à faire ta job, à mon rythme. C'est peut-être pas trop viril, mais je suis bien là-dedans.

— Je te reconnais plus, Bob.

— C'est le fun, moi non plus, je me reconnais plus. Au lieu de déprimer et de chiquer la guenille parce que je trouve pas de job, j'ai décidé de me rendre utile ici et d'avoir du plaisir à le faire. Mon plaisir, c'est pas de rapporter de l'argent à la maison, je l'ai fait pendant tellement d'années, mais de faire en sorte que la maison soit plaisante quand tu reviens du travail. C'est pas de l'argent comptant que j'apporte, c'est des services qui valent de l'argent. On est kif-kif.

— Un seul salaire suffira pas.

— Ben oui, on a juste à moins dépenser. On va se faire un budget.

Et Mireille, qui n'accepte jamais une idée sans un peu rouspéter, dit :

— Tu me fais marcher. C'est une joke. Y a pas de couples qui font ça. De quoi on va avoir l'air ?

— Ça me dérange pas, ce que les autres peuvent penser.

— Et moi, je vais travailler comme une folle ?

— Arrête de travailler, toi aussi.

— Ben non, je vais mourir d'ennui.

— Je pense que la vraie égalité dans le couple, c'est que chacun fasse selon ses compétences, ce dans quoi il est heureux.

— Qui t'a dit ça, cette follerie-là ?

— Clara.

— En tout cas, son Étienne a pas l'air de faire ce qu'il veut.

— Ils vont trouver leur solution à eux.

Mireille a mangé le restant de la lasagne cuisinée par Robert, ils ont regardé la télé sans se parler. Ils ont bercé le bébé qui avait une colique, ils l'ont recouché puis, dans leur lit, ils se sont collés, les bras et les jambes entrelacés. Ils étaient bien.

46

Dans les bras de son grand-père, bien éveillé, le petit de sa fille, suce en bouche, est curieux de tout. Robert voit la camionnette de Clara arriver, il a hâte de lui montrer son petit-fils et de lui confier que sa Mimi accepte sa nouvelle vie à la maison. Il sort de l'auto.

— Bob, viens m'aider !

Il accourt et trouve Clara ensevelie sous les sacs de légumes. Elle tend la main et il l'aide à se relever. Elle gémit, son arthrose lui fait mal.

— Caltor, Clara. Qu'est-ce qui se passe à matin ?

— Il se passe que j'ai soixante-treize ans, merde ! Je le sais pas, ce qui est arrivé. Si je le savais, ce serait pas arrivé. Excuse-moi ! Je suis fâchée contre moi. J'arrive pas à penser que mon corps est vieux puisque ma tête, elle, est jeune.

— C'est ça… C'est exactement ça. Moi, dans ma tête, j'ai vingt ans… mais mon corps, lui, il connaît mon cholestérol, ma pression, il sait que je suis sur le bord du diabète.

— On a beau rêver qu'on a vingt ans, la vie nous ramène vite à la réalité.

— J'ai eu la peur de ma vie quand je t'ai vue sous les brocolis et les courgettes.

Clara se penche pour rapailler les sacs.

— Laisse, Clara, je vais le faire. Va t'asseoir sur le banc avec le petit pour reprendre ton souffle. Je te rejoins.

— Merci, Bob. Il est ben beau, ce bébé-là !

— Moi, quand la cinquantaine m'a pogné, j'ai capoté ben raide... Cinquante ans quand je me sens vingt ans, ben, la plupart du temps.

— Moi, je suis vieille, pas toi ! C'est tellement difficile, passé soixante-dix ! La vieillesse, c'est même pas une maladie, c'est un affront que la vie te fait. Un affront. Je suis insultée. Et qu'on vienne pas me dire que c'est l'âge d'or ; non, c'est l'âge de la mort. Je m'en vais vers la mort, Bob...

— Ben non, ben non...

— Ben oui, ben oui. J'ai compris à mes soixante-dix ans qu'un jour je serai plus là. Je serai plus là...

— Coudonc, la dépression, ça s'attrape-tu ?

— Je suis pas déprimée. Je suis lucide.

Robert ne supporte pas de parler de la mort. Il n'est pas rendu là dans sa vie. Il se pense immortel, il se voit immortel. Il fait dévier leur conversation.

— Comme tous les gars mariés, j'ai un jour pensé que ce serait le fun de recommencer ma vie avec une femme plus jeune, moins loud que Mimi, moins grosse, ben, mince comme Angelina Jolie. Les graisses bien réparties, tsé. Le problème de Mimi, c'est que toute sa graisse est à la même place.

— C'est tentant, des fois, de vouloir changer de partenaire. Je comprends que ça arrive.

— Trop de troubles. Si je me fie à mes chums, changer de femme, c'est changer quatre vingt-cinq cents pour une piastre. C'est sûr que la nouveauté, ça excite le body, mais après quelques années, quand la nouveauté a sacré le camp, tu t'aperçois que la nouvelle est rendue comme l'ancienne, même pire que l'ancienne.

Clara, songeuse, déclare :

— Il vient un temps dans la vie d'un couple où tu as le choix soit d'améliorer ta relation, soit de changer de relation.

— Étienne, lui ?…

— Étienne, je le sais plus. Il a tellement changé, je le reconnais pas. Depuis qu'il suit sa thérapie, il veut prendre sa retraite, changer d'air, être près de l'eau. Il veut qu'on vende la ferme. C'est comme s'il voulait changer de vie. Je sais plus quoi faire. Il en parle pas franc, juste des mots qu'il garroche.

Robert, venu surtout pour parler de lui, ne veut pas vraiment entendre les problèmes de Clara.

— Qu'est-ce que je fais avec ma fille puis mon garçon qui sont revenus vivre chez nous ? Jonathan, o.k., il reste des fois chez sa blonde, mais les deux sont souvent chez nous à l'heure des repas et ils vident notre congélateur sans bon sens. Ma fille, elle s'est installée avec son petit à perpétuité. Il y a dix ans, ils pouvaient pas nous endurer, là ils nous collent…

Clara, perdue dans ses pensées, passe un doigt sur la joue lisse du petit-fils sans nom, qui dort maintenant à poings fermés.

— Bob, t'es dans la cinquantaine, t'as encore du temps devant toi, tandis que moi, je suis vieille.

Clara est étonnée. Elle si pudique, voilà qu'elle divulgue ses pensées les plus intimes.

— Tout ce que je demande, c'est de mourir sur ma ferme avec vous autres autour de moi.

— J'haïs ça quand tu parles de mourir. Tu mourras pas. Pas toi.

— Ben oui, je vais mourir, pis toi aussi. On meurt tous. Mais toi, tu t'en vas juste sur soixante, moi c'est le quatre-vingts qui me pend au bout du nez et, après, c'est quatre-vingt-dix, c'est la mort…

— Lâche-moi donc, caltor, avec la mort. Elle est comique, elle!

— Je pense à la mort tout le temps. Je la sens qui rôde autour de moi. Je traverse une rue, c'est peut-être moi que l'auto va frapper. Je me couche le soir et j'ai la pensée que je me réveillerai pas le lendemain. C'est juste dans le potager que je la sens moins rôder. La mort haït les légumes et les petits fruits; ce sont ses pires ennemis; ça rend les gens en santé.

— Clara, je vais te resservir ce que tu dis souvent à ceux qui te demandent des conseils: Étienne et toi, qu'est-ce que vous voulez? Dans quoi allez-vous être le plus heureux le temps qu'il vous reste à vivre? Hein?

— C'est la première fois, Bob, qu'on veut pas la même chose. Je veux la ferme, il veut la vendre. C'est moi qui vais céder… je me connais.

— Et tu vas faire la baboune à ton mari le reste de tes jours? Beau programme!

Clara est surprise par le bon sens de Robert, mais irritée qu'il la connaisse si bien.

— Je fais pas ça, la baboune, pas à mon âge, tu sauras!

Clara se lève et attrape le panier de Robert, le lui donne, assez rudement.

— C'est ton dernier panier. Il y en aura plus ni cette semaine, ni jamais.

Il hésite, il craint d'affronter sa conseillère préférée.

— Clara, tu sais ce que tu devrais faire ? Couper la poire en deux. Tu gardes la ferme l'été, pis tu vas où Étienne veut l'hiver.

— Non. Non. Non.

— Dis pas non. Comme ça, tu lui fais plaisir, il te fait plaisir.

— Un potager, ça se laisse pas, même l'hiver. Au printemps, il faut préparer le potager, biner la terre, l'ensemencer.

— Il y a plein de fermiers qui passent l'hiver en Floride. Ils doivent trouver des façons de s'organiser.

Clara résiste, elle n'aime pas beaucoup que les bonnes idées ne viennent pas d'elle.

— Puis laisser la maison seule l'hiver ? Les chats, les poules, qui va s'en occuper ?

— Clara, c'est certain que faire plaisir à son conjoint, c'est du trouble, mais ça rapporte en maudit pour la relation ! J'ai appris ça de toi. Trouvez vos solutions, caltor !

Coincée, Clara se durcit.

— Bon, faut que je travaille.

Robert comprend qu'elle le renvoie chez lui.

— Eh ben, bonjour, là.

— C'est ça, bonjour...

Elle lui remet le bébé.

Il ramasse son panier, lui souffle néanmoins à l'oreille en lui faisant un bisou qu'elle reçoit sans chaleur :

— Deux mois en Floride, dix à la ferme. Puis Mathieu, votre engagé, il serait peut-être ben content de garder la ferme quand vous êtes partis l'hiver.

— Je vais y penser. Bye.

Robert la salue en soulevant sa casquette d'un quart de pouce ; il installe son petit-fils dans le siège d'auto et son panier bio dans le coffre.

Clara les observe s'éloigner en humidifiant distraitement les légumes qui, dans la camionnette, se flétrissent sous la chaleur.

« La Floride ! Je supporte pas l'air climatisé. À moins que… Ailleurs, peut-être ? Il y a d'autres pays ensoleillés que la Floride, comme Haïti ! Quelle bonne idée ! Pourquoi j'y ai pas pensé avant ? En même temps, on aiderait le pays à se remettre de son tremblement de terre avec nos devises. Puis il paraît que c'est beau, la mer, dans ce pays-là. Puis je pourrais m'offrir pour aider les agriculteurs si je me tanne de la mer. Ou enseigner, je sais pas, moi, la culture du bio. Finalement, ce dont j'ai le plus peur, c'est de m'ennuyer sur une plage à rien faire d'autre que prendre du soleil avec des touristes avec qui j'ai pas envie de parler. Mais si je peux me rendre utile, ça change tout. Haïti, c'est une idée de génie. Joindre l'utile à l'agréable. Ils sont gentils, les Haïtiens. Que je m'aime quand j'ai des bonnes idées ! Mais Étienne a peut-être des plans pour ailleurs. Je sais ce que je vais faire. Je vais lui proposer la Thaïlande ou le Cambodge, ou bien la Chine, puis il va dire non, je le connais, c'est trop loin, trop étrange, et après je vais lui arriver, bang, avec Haïti. Je lui échange deux mois de mer contre dix mois de terre. C'est un bon deal. Il voudra pas. Mon ancien Étienne, je savais comment l'aborder… non pas le contrôler, mais disons le persuader que mes idées étaient bonnes. Le nouveau, je ne sais plus. Plus j'y pense, plus ces deux mois-là vont faire du bien à mon dos. J'ai de plus en plus de mal à me relever quand je me penche, et ça s'améliore pas. Mes doigts me font mal le matin avec l'arthrose. J'en ai un qui crochit. Puis je garde mes amis et mon potager, et… mon amour. Que je suis intelligente, des fois! Pourvu qu'il dise oui. »

***

De retour chez lui, Robert fait manger le bébé de Geneviève. Il est content de lui. Il sifflote, ce qu'il n'a pas fait depuis longtemps. Surtout, il a été capable de conseiller Clara, faut le faire.

« Je pourrais même dire que je suis heureux! Je commence à savoir qui je suis et ce que je veux. Mais caltor que ça prend du temps… le bonheur est difficile. »

47

Nancy, en robe de chambre et pantoufles aux pieds, est couchée sur son lit, les yeux fermés, malheureuse.

« J'ai perdu le contrôle de ma vie. J'avais des plans de vie, là, je suis une marionnette. J'ai peut-être encore dans mon corps une bête dévoreuse de cellules saines. La peur de pas savoir ce qui va m'arriver. La peur de la récidive. La peur de mourir. Peur que mon mari ne m'aime plus. Peur qu'il ne me désire plus. Peur qu'il me laisse pour une femme complète. Peur de le laisser, moi, par orgueil, parce que je veux pas être un poids pour lui, parce que je supporte pas de pas être désirée. Puis… »

— Tu dors-tu, maman?

— Non, mon amour.

— Es-tu encore malade?

— Je me lève. Il est quelle heure?

— L'heure du souper. J'ai faim.

Elle se lève péniblement, fait bouffer ses cheveux aplatis.

— Je t'ai pas entendu rentrer.

— J'enlève mes souliers pour pas te déranger. Papa m'a dit: « Ta mère est malade, faut pas parler fort, marcher fort, rien faire de fort. » Une fois, j'ai fait un gros pet. Une chance que papa était pas là, je me serais fait chicaner.

— Parce que c'est pas poli de passer ses gaz en public, pas parce que tu m'aurais dérangée.

— Tu le connais pas, papa !

— Hé oui, je le connais.

— Faut plus rien faire à la maison parce que t'es malade.

— Rien faire comme quoi ?

— Ben, rire. Avant que vous soyez mes parents, je riais pas, jamais, ça fait que quand je ris, maintenant, je ris fort pour m'entendre rire… Papa, il dit : « Tu riras fort à l'école », mais à l'école on rit pas souvent parce qu'on étudie pour sortir de notre condition, surpasser les autres…

— Qui dit ça ?

— Papa.

— Mon beau trésor, je vais parler à ton père et tu vas pouvoir rire à ton goût. Ça me dérange pas que tu ries, au contraire, ça me fait du bien. Je m'accroche à ton rire pour me remettre.

— J'aurais pas dû te dire ça.

— Je m'habille. Je suis tannée de ma robe de chambre. Même que je vais m'en débarrasser pour plus avoir envie de la porter.

Lulu, dans l'embrasure de la porte, prend son petit air de victime.

— J'ai dit quelque chose que j'aurais pas dû ?

— Pas du tout ! Il y a juste que je viens de décider que le cancer, on en parle plus. On tourne la page. On passe à autre chose.

— Youpi !

***

Après la fermeture du restaurant, Nicolas rentre sur la pointe des pieds, croyant retrouver Nancy endormie dans le salon, mais elle lit dans le fauteuil près de la grande fenêtre, habillée d'un ensemble couleur pastel, coiffée et maquillée.

— Qu'est-ce que tu fais ? Sors-tu ?

— Je me suis mise belle pour toi.

— C'est réussi. T'es magnifique.

— Merci.

— J'ai pris une bière avec mon sous-chef a la fermeture du restaurant. On a eu une bonne soirée, c'était plein. Wow ! T'es tellement belle. Je te retrouve comme avant le…

— Avant le tsunami ?

— Oui, on peut dire qu'un tsunami a traversé ma vie, notre vie, ta vie…

— Mais aujourd'hui il est parti, le tsunami, on se relève les manches et puis on reconstruit notre famille.

— Reconstruire. Il y a rien à reconstruire. Tout est comme avant. Je t'aime toujours autant, même plus. Je t'aime profondément…

— Et sexuellement ?

Nicolas n'a jamais été très habile à parler de sa sexualité. Comme il le dit souvent : « Moi, je parle pas de sexe, je le fais. » Il rougit, il a chaud, il a soif. Il parle de prendre une douche. Il s'esquive.

Pendant qu'il est dans la douche, Nancy se déshabille pour endosser une longue chemise de nuit de satin noir, très pudique du corsage, mais fendue au milieu pour mettre en valeur ses longues jambes. Elle tamise la lumière de sa lampe de chevet avec un foulard et s'allonge sur les draps de satin vieux rose. Nicolas sort de la douche, une serviette autour de la taille. Il est surpris de l'invitation évidente.

— C'est pas un peu tôt ? Je veux dire… Je pourrais te faire mal… T'es pas encore remise, mais on peut essayer.

Le peu d'enthousiasme de Nicolas, doublé du mot « essayer », vexe Nancy.

— Laisse faire.

Elle se tourne sur son flanc, dans la position hostile que les hommes connaissent bien, enlève le foulard sur sa lampe et l'éteint. C'est dans la pénombre et de dos qu'elle entendra la plaidoirie de Nicolas, couché en cuillère contre elle.

— Donne-moi du temps pour m'habituer, ma chérie.

— T'es pas obligé.

— Tu sais, ton cancer, je l'ai vécu aussi…

— Ben oui, c'est toi qui t'es fait charcuter.

— J'ai eu peur. J'ai eu peur que tu meures, peur de te perdre. Ç'a été un choc pour moi d'apprendre que t'avais le cancer, puis l'opération, puis le retour à la maison… Puis quand j'ai vu ce qu'ils t'ont fait, ce qu'ils ont fait à tes super beaux seins, j'ai capoté.

— Ils m'ont sauvé la vie !

— Je sais, je sais. J'essaie de t'expliquer pourquoi je suis lent à…

— … faire l'amour avec moi ! Je comprends, à première vue, avec des prothèses dans mon soutien-gorge, ça paraît pas que je suis amputée de mes seins, mais moi je le sais, toi aussi tu le sais, c'est pas cool… J'en ai pas fait le deuil encore, alors je comprends que toi…

— Laissons-nous du temps. T'es trop pressée. Sois patiente… On parle jamais du mari de la femme mastectomisée. Pour lui aussi, c'est un deuil et un apprentissage.

— Si tu me désires plus, ça va être correct. On va divorcer puis…

— Arrête de parler en victime, Nancy, pis assume. Je vais essayer d'assumer, moi aussi.

« Il a raison, faut que j'assume, que je cesse d'en parler comme si j'étais la seule au monde qui s'est fait enlever les seins et que le cancer me punissait de quelque faute. Je suis vivante. Câline ! C'était la vie ou mes seins ! J'ai choisi la vie. Ça m'empêche pas d'être remplie ce soir de désir pour Nicolas, et le fait qu'il me rejette sans rien tenter… C'est pas juste. »

« Le désir, c'est pas un acte de volonté. Je voudrais lui faire l'amour comme avant, mais avant elle avait ses seins. Mon Dieu, si vous existez, donnez-moi une érection. »

Il n'a pas terminé sa prière que Nancy se retrouve sur lui, le chevauche et, de mouvement en mouvement, le bon Dieu exauce Nicolas.

***

Le lendemain au déjeuner, ils ont ce regard complice qu'ont les couples rassasiés d'amour physique. Lulu s'inquiète.

— Pourquoi vous riez ?

— Moi, je ris ?

— On rit pas. Finis tes céréales, mon beau trésor.

— Vous riez comme par en dedans, genre. Vous avez de petits yeux plissés, les coins de la bouche qui remontent.

— Parce que la vie est bonne pour moi. J'ai un homme qui m'aime et le prouve, j'ai un garçon extraordinaire qui m'aime et me le prouve cent fois par jour, j'ai une profession que j'aime et qui m'attend, alors je peux pas me plaindre. Le reste a tellement peu d'importance. On a subi, tous ici, un choc avec le cancer qui m'est tombé dessus, mais maintenant que le danger est passé, on va profiter de chaque instant. Vous me verrez plus traîner dans la maison. Vous m'entendrez plus pleurnicher dans mon lit. Et aussitôt que j'ai le o.k. de mon chirurgien, je retourne au travail, je fais de la gym pour être en forme, et puis, tiens, je me décide…

Elle regarde Nicolas.

— Je vais me faire refaire vous savez quoi…

Lulu saute de joie, sans trop saisir l'essence de la décision de sa mère adoptive. L'ambiance morose a disparu, et ses parents sont heureux, alors il l'est.

Le couple s'enlace, et l'enfant en profite pour se coller entre eux.

On entend un coup de klaxon dans la rue.

— Lulu, ton ami et sa maman t'attendent pour t'emmener au match de soccer.

Le garçon regarde par la fenêtre.

— Ils sont là! Salut, les amoureux!

Nancy et Nicolas sont en admiration devant le chemin parcouru par Lulu depuis presque deux ans.

Ils finissent de déjeuner en silence puis, se souvenant de leur nuit:

— C'était bon?

— Surprenant. Je pensais jamais qu'un jour…

— Nous autres, les femmes, au lieu de changer de chum, on change notre façon de faire l'amour.

— C'est toi qui as eu cette idée-là, ben, de me sauter dessus comme une tigresse?

— Les femmes, on est pleines d'imagination en amour. Si ça, ça marche pas, on trouve autre chose.

— Les hommes, quand quelque chose fonctionne, on le refait, c'est sécurisant. Écoute, mon amour, c'était tellement excitant… on pourrait recommencer tout de suite, là.

— Ah, dommage, j'ai rendez-vous à l'hôpital avec le groupe de soutien.

***

Nancy a hâte de raconter à Marguerite, sa nouvelle amie, que son stratagème a fonctionné avec son mari. Elles ont rendez-vous à la cantine de l'hôpital avant la réunion. Après que Nancy lui a raconté ses frasques de la nuit, Marguerite en vient aussi à se confier.

— Moi, à cause d'un cancer, j'ai plus d'utérus ni d'ovaires depuis l'âge de trente ans, j'ai eu une ménopause précoce, qu'ils appellent ça, puis à partir de ce moment, moi qui mouillais à rien : le désert. Mon mari disait que j'avais le vagin sec comme du papier sablé, pis que ça abîmait son petit Jésus. J'ai pas fait ni une ni deux, je suis allée dans un sex-shop et j'ai acheté du lubrifiant et plein d'affaires pour exciter l'homme. Si tu veux… je peux y aller avec toi, au sex-shop, ça me gêne pas pantoute.

— Merci, ça va très bien à ce jour.

— Tu sais, Nancy – si tu le sais pas, je vais te le dire, les hommes, je connais ça –, au début du mariage, ils sont tout feu tout flamme sexuellement. Quand ils ont trouvé une recette gagnante, ils la refont. Ils veulent toujours du pareil au même puisque ce pareil au même fonctionne, pis… ils se tannent. Pour s'exciter, il leur

293

faut du nouveau : une nouvelle blonde, un nouveau char, une nouvelle bébelle. Ça fait que, ma fille, si tu veux garder ton homme, renouvelle-toi. Il aime les gros seins, fais-toi-z'en poser ou porte des brassières bourrées. Que t'aies pas de seins, c'est pas grave, si c'est juste lui qui le voit, mais que les autres gars le voient, lui, avec une fille plate comme une planche à repasser, ça le diminue, pis il va finir par t'en vouloir.

— Nicolas est pas du tout comme ça. C'est un homme qui croit à l'égalité entre les femmes et les hommes.

— Bullshit. On sera jamais égaux ou, si ça arrive, ce sera dans longtemps.

— Je suis pas un objet sexuel pour mon mari, je veux dire.

— Arrive en ville, fille, dans le cerveau des hommes, y a le cul pis rien d'autre. Les hommes sont équipés pour chasser, gagner de l'argent, retrouver leur chemin sans demander à personne, jouer dehors ou regarder jouer dehors, se reposer et procréer. Les femmes, elles, elles ont la capacité de gérer tout ça, elles sentent les choses, les comprennent, les arrangent. On dit qu'elles contrôlent. Non, elles gèrent la vie. Tu vois, on est pas pareils, pis on veut être égaux. C'est ça, le problème.

— Je suis pas d'accord avec ton analyse. On peut ne pas être pareils et être égaux.

— Un homme, c'est un homme ; une femme, c'est une femme.

— Marguerite, je vais sauter la réunion. À bien y penser, le sujet « Aimer son corps », c'est trop tôt pour moi. Il y a pas six mois, je savais pas que j'avais un cancer. J'ai perdu mes seins, je suis pas prête à aimer mon corps, pas encore. Tu comprends, Marguerite ?

— Oui, je suis passée par là.

— Je reviendrai aux réunions quand je serai prête. Je te laisse mon adresse courriel.

— Mon mari et moi, on est pas encore connectés. Je vais y voir. Je veux pas perdre contact avec toi. C'est vrai que je peux être ben raide avec mes idées sur les femmes et les hommes. Ton Nicolas, lui, me semble différent. T'es ben chanceuse.

Elles s'embrassent avec affection. Marguerite est dépitée par le départ précipité de sa nouvelle amie… docteure de surcroît.

48

À la fête du Travail, pas de repos pour Clara, Étienne et leur engagé, Mathieu. Les légumes racines, les tomates, les courgettes, les haricots, les oignons ne demandent qu'à être cueillis. Ils doivent récolter du lever au coucher du soleil. Contre toute attente, Étienne ne rechigne pas à la tâche depuis son retour. Ils sont si éreintés le soir qu'ils se parlent peu, juste le nécessaire.

— Ta douche, chérie, avant moi si tu veux?

— Demain, faut pas oublier de mettre une double portion de panais dans les paniers. Il y en a trop.

Mais ce soir, après leurs douches et les recommandations d'usage, ils ont le goût de terminer la bouteille de vin du souper. Étienne remplit les verres. Ils se sourient tendrement et trinquent.

— À nous deux.

— À nous deux.

— Étienne je veux que tu saches que…

— Que?…

— Tu es ma priorité dans la vie.

— Toi aussi, t'es ma priorité, alors on garde la ferme et on en parle plus, puisque c'est ça qui te fait plaisir.

— C'est pas aussi simple, mon amour, parce que moi aussi, je veux te faire plaisir et aller là où il y a de l'eau…

— Tu vois, on tourne en rond. C'est décidé, on garde la ferme.

Il avance son verre comme pour trinquer à sa prise de décision, à la fin de ce lourd dilemme.

— J'ai eu une idée, tu me diras ce que t'en penses. On peut avoir les deux. Pourquoi on aurait pas les deux ?

— Les deux quoi ?

— Plaisirs !

— Quels plaisirs ?

— T'as envie d'être près de l'eau, c'est ta vie, l'eau, tu t'es sacrifié depuis l'achat de la ferme, ta demande est plus que raisonnable.

— J'ai aimé la ferme, il y a juste que là… je vieillis.

— Écoute, Étienne, mon idée, c'est qu'on garde la ferme, mais qu'on parte chaque hiver deux mois, janvier et février, à la mer. Trois mois si tu veux.

— Qui va prendre soin de la maison, des poules pis des chats ? L'assureur exige qu'il y ait une personne responsable.

— Mathieu. Il est responsable à sa manière. Il fait tout le travail du moment qu'on lui dit pas quoi faire, ni de le faire à la perfection. On le paierait, évidemment.

— Ouais.

Clara respire : au moins, il ne dit pas non.

— On irait où ?

— En Thaïlande ou quelque part en Asie.

— Presque trente heures d'avion pour voir de l'eau ? Non.

— C'est trop loin, tu trouves ?

La stratégie de Clara fonctionne à merveille. En quelques minutes, tout s'enclenche. Ils iront en Haïti, loueront un bungalow de trois chambres pour que Claude puisse les visiter.

— Et l'argent ? Ça coûte cher, deux mois dans le Sud.

— En Haïti, c'est pas cher. Nous avons nos deux pensions, et cette année on fait un petit profit. Et l'été prochain, on prendra quelques clients de plus pour payer nos billets d'avion et la location d'une voiture.

— Non, pas de clients de plus. Tu te vois pas marcher, Clara. Tu boites, mon amour. Moi, je pense que l'idée que Mathieu s'occupe de la ferme est superbe et, petit à petit, on pourrait se retirer des gros travaux et devenir des consultants en culture bio pour aider les jeunes entrepreneurs à planifier. J'haïrais pas ça.

— Le bio est devenu une mode. On mettrait notre expérience au service de la population qui veut jardiner.

— Maudite bonne idée.

— On est deux professeurs à la retraite. Pour nous, enseigner, c'est naturel.

— On pourrait même impliquer davantage Mathieu dans la ferme, comme la lui louer avec un pourcentage sur les profits.

Ils lèvent leurs verres, soulagés d'avoir enfin pris une décision.

***

Plus tard, dans le noir, le vin délie la langue de Clara.

— Tant qu'on a voulu chacun faire plier l'autre, on a tourné en rond. C'est quand on a lâché prise que la solution a surgi toute seule dans ma tête.

Elle se colle contre lui, l'entoure de ses bras et lui glisse dans l'oreille :

— C'est pas moi, c'est Bob qui a trouvé la solution. Moi, j'ai trouvé pour les cours de culture bio, toi pour la possibilité d'impliquer davantage notre Mathieu.

Il se tourne vers elle. Elle est inquiète, car elle ne voulait pas qu'il découvre qu'elle a menti… un peu.

— Oh, que je t'aime quand t'admets que t'es pas parfaite.

Ils s'embrassent comme de vieux amoureux, et puis cinquante ans d'amour physique remontent à leurs lèvres, à leurs langues. Les mains se souviennent des caresses anciennes et, doucement pour ne pas se donner d'entorse au dos, ils font l'amour juste pour être l'un dans l'autre, pour ne faire qu'un au moins pendant que dure l'extase.

***

Le lendemain matin, c'est Étienne qui aborde Mathieu.

— Comment t'aimes ça, le travail chez nous?

— Je viens pour la bouffe. Clara est une super bonne cuisinière. Mon grand-père, il mange juste des toasts pis du beurre de peanut. Non, sérieux, monsieur Étienne, j'aime ça surtout depuis que j'ai la responsabilité de la livraison en ville des paniers. C'est cool que vous me fassiez confiance. Aussi il y a pas trop de routine. Il fait beau, je travaille. Il fait pas beau, je prends une bière et je fais autre chose dans la grange. Réparer, rafistoler des trucs, je suis ben bon là-dedans. Pis avec mes paies je peux m'acheter mes bébelles électroniques. Puis nous trois, on forme une belle équipe. Je sais que je vous sors du trou.

— Trou?

— Ben, je sais que sans moi vous seriez pas capables de venir à bout du potager; vous êtes vieux. Avec moi, ça roule. Puis savez-vous quoi? J'aimerais ça que vous me la laissiez en héritage, cette ferme-là. Mon grand-père, lui, il a vendu ses terres, pis moi je me vois pas avoir un patron. Moi, je veux une vie qui ait du sens, dans la nature.

— On a un fils, Mathieu, la ferme lui reviendra.

— Votre Claude, y est pas capable de distinguer un navet d'un chou-fleur, il va la vendre.

— T'as ben raison !

— Hein, y a pas juste les vieux qui ont raison ?

— Mathieu, ça me touche beaucoup ce que tu dis. Je suis peut-être vieux, mais j'ai toute ma tête. Laisse-moi en parler avec ma Clara.

Déjà, Mathieu est parti de son pas élastique vers l'autre bout du grand potager. Étienne le rejoint.

— Mathieu, j'ai un service à te demander. L'hiver qui s'en vient, pourrais-tu venir vivre dans notre maison ?

— Pourquoi ?

— Parce qu'on irait, Clara et moi, passer janvier et février dans le Sud. Parce qu'on est vieux et que la chaleur fait du bien à nos os.

— Parle-moi de ça, des vieux qui admettent qu'ils sont vieux. It's a deal. Mais j'emmène pépère avec moi, je peux pas le laisser tout seul.

— Pas de problème.

— Savez-vous quoi ?… Si les bébés avant de naître pouvaient choisir leurs parents, moi, je vous aurais choisis… comme grands-parents. N'importe quand, man. Je vais-tu être payé pour ça ?

— Demande-moi ce que tu crois être juste. Je te fais confiance.

— Deal !

Étienne songe à son fils Claude et se sent coupable à l'idée que s'il avait eu à choisir il ne l'aurait peut-être pas choisi. Il a honte de sa pensée. Ce soir, il ira le voir, lui dire qu'il l'aime. Francis travaille maintenant à New York depuis quelques semaines.

***

Étienne, assis dans son auto devant la maison de Claude, écoute les nouvelles à la radio. Tous les soirs de la semaine, son fils va, après son travail, chercher Gabriel à la garderie. Il devrait arriver d'une minute à l'autre. Un véhicule apparaît dans le rétroviseur.

— Le voilà !

Étienne ouvre la portière, descend de sa voiture, arrête son élan quand il s'aperçoit que ce n'est pas son fils.

« Ah ben maudit : Francis ! »

Ce dernier sort ses longues jambes de son auto sport, déplie son corps et ferme la portière d'un coup sec. Il aperçoit Étienne.

— Hey, grandpa ! I am back !

— Je vois ça. Salut.

Francis saisit par surprise Étienne pour lui faire l'accolade, l'étouffant quasiment. Étienne, mal à l'aise, se dégage rapidement.

L'auto de Claude se gare derrière celle de son père. Claude est étonné, surpris même, de voir Francis. Il extirpe Gabriel de son siège, qui aussitôt tend les bras vers Francis. Étienne propose de prendre l'enfant avec lui pour laisser les amoureux seuls, mais Gabriel s'accroche à Francis. Étienne repart vers la ferme, déçu de ne pas avoir pu parler à son fils et pas tout à fait heureux du retour non prévu de Francis.

49

Après le bain de Gabriel, l'histoire à raconter, il est vingt heures dix quand Claude et Francis se retrouvent devant une bière et un repas que ni l'un ni l'autre n'ont pu entamer.

— Tu vois comme il m'aime, notre enfant !

— Hé, si t'es venu pour me niaiser… D'ailleurs, je me demande bien pourquoi tu me relances. On a cassé. C'est fini entre nous, tu vis à New York maintenant, pour au moins trois ans.

— Je viens pour reprendre avec toi.

— Jamais je reprendrai avec un gars pas fidèle. Forget it !

— J'ai décidé de le devenir. Tu remarques pas que je parle un beau français ? Mon coach est parisien.

— T'es pas capable d'être fidèle, puis arrête de m'écœurer avec ton accent pointu.

— Claude, my love, listen.

— Je sais ce qui va arriver. Je vais te donner une autre chance, on va reprendre ensemble. Gabriel va retomber en amour avec toi, puis à la première tentation tu vas trahir tes engagements.

— Je te jure que je suis sérieux. Je me suis aperçu que je peux pas vivre sans toi, alors j'accepte ta condition. Je te jure fidélité.

— Tu me l'as juré cent fois. T'as jamais tenu parole. T'es pas capable.

— Je te jure que ces relations-là comptent pas pour moi…

— Elles comptent pour moi. Je suis jaloux et je déteste l'être, trop douloureux. J'ai peur de te perdre et je suis en colère. C'est mieux qu'on ne vive plus ensemble.

— Je t'aime, Claude, je veux partager ma vie avec toi. Je veux qu'on élève ensemble notre enfant, c'est pour ça que j'accepte cette exclusivité sexuelle, même si pour moi c'est un gros sacrifice.

— Je comprends pas. Tu dis que tu m'aimes et tu peux partager avec d'autres ce que je te donne avec tant d'amour, notre intimité.

— On peut aimer quelqu'un et avoir une attirance pour un autre.

— La fidélité, pour moi, ça va avec l'engagement pour la vie.

— Ce serait pour la vie en plus! Excuse-moi, ça m'a échappé. It's a joke!

— Retourne à ta vie. Nous deux, c'est pas possible. Scram, je veux plus voir ta maudite face de séducteur.

— You are so dull, man!

Voilà, les gros mots sont sortis comme des balles de revolver. Et pourtant ils restent là, face à face, sans bouger. Francis est tiraillé entre son désir de vivre en couple avec Claude et son attirance pour le sexe avec d'autres partenaires. Claude, lui, est déchiré entre ses principes et son attirance et son amour pour Francis. Et tout à coup, il se souvient de son aventure avec Alain, si brève et si insignifiante qu'il l'avait presque oubliée.

— Le sexe pour le sexe, c'est pas une vraie tromperie, t'as raison, Francis.

Un silence épais se coule entre eux.

— Claude?

— Quoi?

— T'as quelque chose à me dire?

— On était plus ensemble, ça compte pas.

— Tu m'as trompé? Toi! Le fidèle!

— On avait cassé, je te dis.

— Tu l'aimes-tu, ce gars-là?

— Non.

— C'est rien qu'une affaire de sexe?

— Oui.

— Ça change-tu quelque chose dans tes sentiments envers moi?

— Non…

Francis lui ouvre les bras et Claude s'y glisse. Quelques minutes plus tard dans leur chambre, ils s'aiment en retenant leurs grognements et leurs cris de plaisir comme tous les parents du monde.

✱✱✱

Le lendemain matin, le petit Gabriel dans son parc lance un à un ses jouets sur le patio où Francis fait son yoga sous l'œil amusé de Claude. Une auto klaxonne. C'est Clara et Étienne qui apparaissent dans la cour arrière.

— On vient chercher notre petit-fils pour la fin de semaine. Pour vous donner un peu de temps pour vous retrouver, faire vos plans d'avenir. Sans plan, on tourne en rond.

L'enfant tape des mains en baragouinant « mamie et papi ».

Étienne, en voyant l'air calme et heureux de son fils avec son amoureux, en conclut que le couple s'est reformé. Il échange un regard de connivence avec Clara.

— Vous faites un beau couple. Maintenant, il s'agit de faire un bon couple, et ça c'est une job à vie. On y travaille encore, Clara et moi.

— Arrête donc, Étienne, tu leur fais peur. La vie de couple, c'est comme un livre, il y a des chapitres le fun, d'autres plus plates, mais c'est lire le livre qui est passionnant. Nous deux, notre livre est de plus en plus intéressant. Hein, mon amour chéri?

— Oui, mon trésor.

Le vieux couple se regarde et il y a tant d'amour qui se dégage que Claude et Francis en sont touchés. Est-ce qu'ils vont pouvoir eux aussi leur ressembler et finir leur vie amoureux, tout comme eux?

50

Samuel, pour une fois, a hâte que la répétition finisse. C'est ce soir que Magali et lui vont prendre une décision pour le bébé. Ils doivent se rencontrer à une terrasse du Plateau vers vingt-deux heures. Ils ne se sont pas vus depuis deux semaines, pour s'allouer un temps de réflexion.

Magali sirote une eau minérale quand il arrive tout essoufflé d'avoir couru depuis le métro.

— Je suis parti avant tout le monde, je voulais pas te faire attendre. T'es belle !

— Toi aussi, t'es beau.

— Tant qu'on se trouve beau, c'est bon signe… ben, pour nous deux.

Il commande une bière.

— Tu bois de l'eau minérale ? Ça veut dire que tu bois pas d'alcool parce que ?… Est-ce que je comprends bien ?

— Oui.

— Ah non !

— Tu y as pensé…

— J'ai décidé qu'on doit attendre pour avoir un enfant que je gagne de l'argent. Je peux pas avoir un enfant et pas participer aux frais. Je le supporterais pas.

— Moi, je supporte pas de me faire avorter une autre fois. Le premier avortement il y a deux ans, j'avais pas les moyens de faire vivre le bébé et j'étais pas prête à sacrifier ma vie de célibataire moi non plus. Mais là, j'ai en masse les moyens de le laisser naître et de m'en occuper. Si j'avais pas une cenne, je serais d'accord avec toi, mais j'ai de l'argent et il va servir à autre chose que de me procurer du luxe.

La bière de Samuel arrive.

— Magali, je t'aime. Je veux ben avoir des enfants avec toi, quatre si tu le veux aussi, mais c'est pas le bon timing. C'est trop tôt pour moi. Je veux finir mes études.

— C'est trop tôt pour toi, pas pour moi.

— Ce qui veut dire?

— Que quoi que tu fasses, quoi que tu dises, je vais avoir cet enfant.

— J'ai quand même voix au chapitre.

— Mon corps m'appartient. C'est moi qui décide. Je me sens prête. Je vais enfin servir à quelque chose, je vais avoir un but dans la vie. Je vais enfin être nécessaire à quelqu'un. Indispensable, même.

— Pis moi?

— T'as décidé de pas être père, c'est ton problème!

— Tu comprends pas. Je suis aux études pour deux autres années.

— Tu voulais me marier l'an passé, avoir des enfants pis toute l'affaire.

— Je savais pas que la question d'argent entre nous gâcherait tout. Je peux pas être père dans ces conditions-là. C'est pas raisonnable.

— Les parents avant nous, s'ils avaient été raisonnables, on serait pas là. Les parents, ce sont les aventuriers du monde moderne, que tu disais…

— C'est pas de moi, c'est de Péguy. Un grand poète.

— Je déteste la poésie.

« Je déteste ses pensées rétrogrades, je déteste son métier, je déteste son orgueil de mâle… »

« Son ignorance culturelle m'agace, son manque de passion m'irrite. Un enfant est pas censé être un but dans la vie. »

— Je t'aime.

Ils l'ont dit en même temps, et cette coïncidence les fait rire et les attendrit.

— Mag, je t'aime, mais je peux pas devenir papa, je suis pas prêt financièrement ni psychologiquement.

— Je t'aime, moi aussi, et je vais devenir mère, je sens que ce sera la meilleure décision de ma vie.

— J'ai pas d'argent, crisse !

Elle se lève, le fixe puis s'en va.

Il la regarde filer sans broncher, conscient pour la première fois qu'il met dans la balance l'amour et l'argent, et que l'argent va l'emporter.

∗∗∗

Il est une heure vingt. Magali, seule dans le grand lit de la maison de son père, espère encore que Samuel viendra la rejoindre, qu'il se jettera à ses pieds et lui dira qu'il a changé d'idée et qu'il accueillera le bébé avec bonheur. Ils feront l'amour ensuite, en guise de signature de contrat. Elle prend son cellulaire : aucun texto. Elle joint Samuel. C'est occupé. Elle ignore que son amoureux s'est résigné à demander conseil à Clara.

— Il est tard, Sam, je me lève tôt demain, je pense qu'on peut conclure en disant qu'il y a pas de recette miracle pour être heureux en couple. Il faut se faire confiance et faire confiance à l'autre, et puis on plonge. Avoir un enfant, c'est une aventure, tu as raison, mais quelle belle aventure ! Et puis tu sais, les modèles d'autrefois, l'homme pourvoyeur, la femme à la maison, c'est terminé, il faut inventer de nouveaux modèles qui auront des failles évidemment, mais des avantages aussi. J'espère que j'ai répondu à tes questions.

— Merci, Clara. Bonne nuit.

***

Magali dort une main sur son ventre, là où elle croit que l'embryon se niche. Le téléphone sonne et elle répond sans ouvrir les yeux, encore dans son sommeil.

— Mag, je suis en bas. Ouvre-moi.

— Hein, c'est toi ?

— J'ai besoin de te parler.

L'idée que peut-être il a changé d'idée pour le bébé la réveille tout à fait.

— J'arrive.

Elle descend l'escalier à toute vitesse, lui ouvre la porte, l'air enjoué.

— Oh, Sam, merci… merci.

— J'ai pas dit oui.

— Tu me sors du sommeil pour me dire qu'on va casser ?

— On peut-tu s'asseoir ?

Il se dirige vers la cuisine. Elle le suit. Il se prend un verre d'eau, elle attend qu'il parle.

— Je veux te dire que t'es la femme de ma vie, que des enfants, quand on sera mariés, on pourra en avoir tant que t'en voudras.

— Je veux celui-là…

— Ce que je veux te dire, c'est que c'est juste partie remise. Je t'aime et je veux des enfants avec toi, mais plus tard, quand je ferai un minimum d'argent.

— L'argent, c'est pas un problème ! Ou plutôt oui, c'est le problème entre nous. Tu vas te priver de la femme que t'aimes, tu vas te priver d'un enfant qu'on a fait à deux, nous deux, pour des principes anciens qui ne tiennent plus. Réfléchis bien.

— Toi aussi, Magali, réfléchis, tu peux me perdre.

Elle comprend qu'elle doit choisir entre le bébé et son amoureux. Elle est chamboulée et ne trouve qu'une injure à lui lancer à la tête :

— T'es ben écœurant !

— Pas écœurant, raisonnable.

Il n'a pas besoin de lui expliquer davantage qu'il ne sera pas près d'elle si elle garde l'enfant.

— Tu m'aimes pas !

— J'ai pas d'argent, juste une petite bourse d'études. Tu peux pas comprendre ça.

— Sacre ton camp, que je te revoie jamais ! Mon bébé aura pas de père, c'est tout.

Ils se regardent dans la lumière crue de la cuisine, deux épaves qui flottent au milieu de la mer. Ils sont épuisés, moralement, physiquement.

Samuel éteint les nombreuses lumières de la pièce, ne laisse que la veilleuse de la cuisinière. Ils sont alors moins gênés de se regarder.

— C'est une question de fierté mâle…

— Avec toutes les femmes sur le marché du travail, c'est normal que certaines aient plus d'argent que leurs chums. Ça va arriver de plus en plus, va falloir créer de nouveaux modèles de couples.

— Où t'as pêché ça?

Il sent qu'il ne peut pas mentir.

— C'est de ton amie Clara.

— Tu l'as vue?

— Je lui ai téléphoné pour avoir son avis.

— Pis?

— On va créer un nouveau modèle de couple!

— Comment tu vas faire ça?

— Je vais à la banque, je demande un prêt pour fonder une famille.

— Tu l'auras pas, à moins que je cosigne.

— On fait des prêts pour les études, pour les jeunes entrepreneurs, on devrait en faire pour ceux qui fondent une famille aussi.

— Faudrait que tu tombes sur un banquier qui veut essayer un nouveau modèle de banque. Écoute, on devrait aller dormir là-dessus. Viens.

Elle lui tend la main, il la prend.

***

Le lendemain matin, Samuel voudrait bien paresser au lit, faire l'amour encore et encore, mais Magali a des nausées. Elle est pâle, presque translucide, entre deux passages aux toilettes.

— J'ai pensé cette nuit à un nouveau modèle de couple. Je te fais un prêt que tu me paieras quand tu feras de l'argent, et tu vas en faire parce que tu es le meilleur comédien au monde.

— Je peux pas accepter ça!

— Moi, je peux pas accepter que l'argent passe avant moi… Oups! le cœur me lève.

Elle court à la salle de bain. Le premier réflexe de Samuel serait de fuir, de disparaître à jamais, et c'est ce qu'il fait. Il s'habille en vitesse et, comme un gamin qui vient de casser une vitre avec sa balle, il se sauve.

— Où tu vas comme ça?

— Donne-moi du temps.

— Je veux plus te voir, jamais!

Il la quitte sans la regarder. Il est triste à mourir.

Magali va se recoucher, elle pleure son amour perdu.

«Je suis égoïste! Pas une seconde je me suis mise à sa place. Pas une seconde j'ai pensé que, pour lui, avoir un bébé tout de suite, c'est une catastrophe, que pour lui l'argent n'a pas la même signification que pour moi, que pour lui, avoir une carrière réussie, c'est vital. Je suis affreuse. Si je veux qu'il m'accepte comme je suis, je dois l'accepter comme il est. Qu'est-ce que je veux? Lui et le bébé. Mais s'il me faut sacrifier l'un pour avoir l'autre… Qu'est-ce que je fais?»

***

Samuel se fraye un chemin parmi les passagers du métro jusqu'à la banquette du fond qui est libre.

«C'est idiot de fuir comme un lâche, mais que faire d'autre devant l'acharnement de Magali à garder un bébé que j'ai pas les moyens de faire vivre? L'argent arrange pas tout. C'est pas vrai que l'argent fait le bonheur. Maudit argent! D'un autre côté, si l'argent me permet de vivre avec la femme de ma vie, me permet d'avoir les enfants que je veux, pourquoi je le bouderais? Je sais plus quoi faire.»

51

C'est la grande fête des citrouilles chez Clara et Étienne. Comme chaque année au milieu d'octobre, tous les clients, tous les amis et un nombre impressionnant de citrouilles sont réunis pour célébrer la fin des récoltes.

Claude, devant le succès du méchoui de l'année dernière, a récidivé, mais cette fois avec un cochon entier, nourri bio, qu'il fait rôtir à la broche. Clara et Étienne, dans leur chambre, finissent de se préparer.

— Je sais pas si je vais digérer ça, du porc.

— Ma chérie, ce que tu digères pas, c'est de pas faire le repas et de pas recevoir les compliments qui vont avec.

— Toi, mon snoreau ! C'est ça, le malheur des vieux couples. On se connaît trop.

— On se connaît jamais complètement...

— Qu'est-ce que tu veux dire ?

— Une chance qu'on se connaît pas trop, tu me surprends encore.

— Puis toi, depuis ta thérapie, si tu penses que tu me surprends pas...

— Ma thérapie m'a pas changé. Elle m'a permis de savoir mieux qui j'étais et ce que je voulais, c'est tout. Toi, t'as toujours su qui t'étais et ce que tu voulais, pas moi.

Claude vient les chercher. Les invités sont pour la plupart arrivés.

— Tu te donnes bien du mal, mon garçon.

— Pendant vingt ans, p'pa, tu t'es occupé de moi, c'est normal que…

— Je t'ai abandonné à vingt-trois ans, ce serait normal que…

— On parle plus de ça, c'est du passé…

— D'avoir été cave à ce point, c'est une faille dans ma vie.

— Ah non, pas une autre thérapie !

Pour Clara, c'était une blague pour alléger l'atmosphère, mais Étienne est chatouilleux sur le sujet. Elle lui adresse un air contrit. Il se détend.

***

Claude les entraîne dehors, où il fait bon, presque chaud. Tous ceux qui gravitent autour d'eux sont là. Leur apparition suscite une volée d'applaudissements. Ça sent le cochon grillé, la feuille morte et la citrouille. Cette année, pas de places précises, mais des chaises et des tables éparpillées sur le gazon.

Leurs invités viennent tour à tour leur témoigner leur affection. Étienne et Clara sont intimidés par tant de chaleur humaine, surtout Étienne.

Après le repas, Claude prend la parole :

— Merci… merci, les amis. Je sais que vous attendez la fin du suspense. Mes parents vendent-ils la ferme ou restent-ils encore parmi nous ? Eh bien… Papa, maman, à vous la parole.

Les applaudissements reviennent en force. Clara attrape le micro, rit.

— Chut, vous allez faire peur aux poules.

Le silence se fait peu à peu.

— D'abord, merci d'avoir accepté l'invitation de notre fils Claude.

Quelques-uns se mettent à scander :

— Une réponse ! Une réponse !

Étienne enlève le micro des mains de Clara et, après avoir adressé un clin d'œil complice à Mathieu, annonce :

— Vous allez les avoir, vos légumes et vos petits fruits, mais c'est Mathieu, notre homme de confiance, qui va s'occuper du potager sous notre supervision. Puis nous, ça va nous permettre, l'hiver, d'aller à la chaleur quelques mois.

Robert crie à la ronde :

— C'est moi, c'est moi qui leur ai donné l'idée !

Clara reprend :

— Comme on veut pas vous perdre, on a pensé lancer une petite compagnie de conseillers en horticulture bio. Vous voulez transformer vos boîtes à fleurs en boîtes à légumes ou à fines herbes, ou enlever le gazon et faire pousser des patates à la place ? On va vous dire comment faire, quelle sorte de terre acheter, quels engrais éviter. Comme ça, on va rester en contact avec vous, notre famille, presque.

Les applaudissements se joignent aux bravos qui fusent.

Clara enlace son conjoint.

— Ça a été long comme négociation, mais on est enfin arrivés à une solution qui fait plaisir à Étienne et à moi, et à vous tous. Parce que dans des négociations de couple il faut que les deux soient gagnants. C'est pas comme les compromis, où il y en a juste un qui gagne et l'autre qui perd.

Étienne lui enlève le micro des mains avant qu'elle s'étende sur les conseils aux couples, son sujet préféré.

— J'ai quelque chose à vous dire. C'est important.

Elle reprend le micro.

— J'ai pas fini !

— Oui, t'as fini.

Tous les couples rient, ils se reconnaissent dans cet échange. Elle retend le micro à Étienne.

— Parle pas longtemps, ils ont envie de manger les desserts à la citrouille que Nicolas a cuisinés pour nous.

Étienne s'éclaircit la voix.

— C'est pas souvent que j'ai le monde que j'aime à portée de la main, je veux en profiter pour… parler à mon fils.

Claude, affairé avec les desserts, s'approche de la galerie qui sert de tribune à ses parents.

— Claude, mon garçon, j'ai pas été correct avec toi.

Étienne s'adresse maintenant aux amis réunis. Clara, qui comprend que quelque chose d'important se prépare, sent des larmes embuer ses yeux.

— Moi, Étienne le bon gars, l'homme intègre, honnête, le brave homme de qui vous prenez modèle il paraît, eh bien, je veux vous dire aujourd'hui que je suis un lâche.

Si le temps des maringouins n'était pas passé, on pourrait en entendre voler.

— J'ai abandonné mon fils Claude pas à sa naissance, mais pire, de vingt-trois ans à quarante-deux ans, dans les années où il avait le plus besoin d'un père. Quand, à vingt ans, il m'a présenté son amoureux, qu'il m'a dit être gai, moi, comme un imbécile, je l'ai sacré dehors et j'ai refusé de le voir pendant de nombreuses années. Par ignorance de ce qu'était l'homosexualité, par entêtement, par peur… car ayant été abusé par un prêtre dans ma jeunesse, j'avais peur d'être moi aussi un homosexuel. Par orgueil j'ai pas fait les premiers pas. Par pure lâcheté. Claude, approche, sauve-toi pas. C'est à toi que je veux parler.

Claude ne sait pas à quoi s'attendre. Il s'avance et monte les marches vers son père. Des larmes coulent sur les joues de Clara. Père et fils se regardent dans les yeux un long moment. Les invités retiennent leur souffle. Étienne prend une longue respiration.

— Claude… je te demande pardon !

Le silence tombe sur eux, épais, à couper au couteau. Claude se jette dans les bras de son père et, ensemble, ils pleurent leurs années perdues. Quand Étienne se dégage de son fils, il se tourne vers sa femme.

— Clara, je te demande pardon aussi. Je t'ai forcée à me mentir pendant vingt ans parce que par orgueil je ne voulais pas revenir sur ma décision de ne plus voir ni entendre parler de notre fils. Pardon à tous les deux. J'ai été un mauvais mari et un mauvais père. Dites que vous me pardonnez.

Clara se mouche, trop émue pour dire la moindre parole. Elle se glisse entre les deux hommes et fait signe que oui.

Claude, ému et gêné, prend le micro.

— Je te pardonne, p'pa. T'étais comme les hommes de ton temps. Ils haïssaient ce qu'ils ne comprenaient pas. Je sais qu'ils ont évolué, qu'ils savent maintenant qu'on fait pas exprès d'être gai. Nous, Francis et moi, ce qu'on veut, c'est un amour qui dure, avec des enfants et même un papier qui prouve qu'on est un couple. Ce papier-là, Francis et moi, on va le signer parce qu'on veut pour notre enfant un foyer stable.

Clara pleure de joie maintenant. Étienne signale à Francis de venir les rejoindre. Avec bébé Gabriel dans les bras, Francis obtempère. Claude en profite pour prendre une photo de famille avec son cellulaire.

Au cours de la soirée qui s'éternise, Robert et Mireille leur apprennent qu'ils vont finalement adopter leur petit-fils. Ils espèrent obtenir l'autorisation de Filippo qui a choisi de rester au Mexique. Ils ont compris qu'ils sont heureux quand leurs enfants sont autour d'eux et que c'est dans le bruit de leurs rires et de leurs pleurs que leur libido s'épanouit.

La réorganisation de la vie familiale avec Robert à la maison arrange tout le monde, surtout Geneviève qui sera ainsi libre de continuer sa vie de jeune adulte. Quant à Jonathan, sa copine vietnamienne bolée l'inspire et l'incite à se consacrer à ses études comme programmeur. Il gagne des sous en étant au service des personnes âgées désireuses de se mettre à l'ordinateur et à Internet. Il ne fait plus maintenant la différence entre le sexe et l'amour, ce qui le rend encore plus amoureux.

Nancy se remet de son opération. Sa maladie lui a permis d'identifier ses priorités : vivre d'abord, vivre en santé ensuite. Elle est vivante et en profite tous les jours. Bientôt, ce sera l'étape de la reconstruction de ses seins. Nicolas, maintenant, se réserve de longues plages de temps pour profiter de sa famille. Ce qui compte pour lui, c'est sa femme qu'il a failli perdre et son garçon qui a besoin de tant d'amour et d'encadrement. Lulu, lui, est enfin heureux avec des parents qui l'aiment et le sécurisent.

Magali et Samuel, après tant de hauts et de bas, d'allers-retours, de va-et-vient, ont pris la décision de garder le bébé, de quitter la grande maison d'Outremont et de vivre dans une maison plus modeste. Ils savent qu'ils devront inventer un nouveau modèle de couple, alors ils sont prêts à travailler pour garder leur relation saine, et qu'importe ce qu'en diront les autres.

Jean-Christophe et Charlène rayonnent de bonheur. Caroline est amoureuse. Les craintes de Charlène disparaissent comme du beurre dans la poêle, et Jean-Christophe est enfin débarrassé de sa culpabilité. Il a demandé la main de Charlène.

***

Cette nuit-là, Étienne dort et Clara relit un bout de son journal. Trop de bonheur lui fait faire de l'insomnie.

🍃 Même si cinquante pour cent des histoires d'amour finissent par une rupture, il reste que cinquante pour cent des couples s'aiment, se chicanent, se réconcilient et continuent à faire de leur relation la grande priorité de leur vie.

Elle sourit en éteignant son ordinateur et monte rejoindre son Étienne dans leur lit douillet.

MERCI DU FOND DU CŒUR

À Monique Messier, qui me corrige, me refait travailler, me coupe des pages, mais en qui j'ai toute confiance et dont je ne saurais me passer.

À Johanne Guay, éditrice en chef de Groupe Librex, qui me traite comme une reine.

À toute l'équipe de Libre Expression pour sa gentillesse à mon égard et son efficacité.

Au Dr Rami Younan, chirurgien-oncologue, qui avec sa douceur habituelle et sa science m'a aidée dans ma recherche sur l'ablation du sein.

À Laurent McCutcheon et Pierre Shéridan, qui m'ont accompagnée dans ma recherche sur les couples homosexuels.

À Michel Dorais, qui est toujours là pour répondre à mes questions sur la sexualité des hommes.

À André Monette, qui m'aide depuis trente-deux ans à voir clair en moi.

À Donald, mon amoureux, pour son amour qui dure dure… dure.

Suivez les Éditions Libre Expression sur le Web :
www.edlibreexpression.com

Cet ouvrage a été composé en Minion 13/15,75
et achevé d'imprimer en septembre 2014 sur
les presses de Marquis Imprimeur, Québec, Canada.

certifié procédé sans chlore 100 % post-consommation archives permanentes énergie biogaz

Imprimé sur du papier 100 % postconsommation, traité sans chlore,
accrédité Éco-Logo et fait à partir de biogaz.